Sortilèges dans les îles

Chère Lectrice,

*Duo vous propose d'oublier un instant
le quotidien.*

*La nouvelle Série Désir vous offre
la séduction, la jalousie, la tendresse,
la passion, l'inoubliable...*

*La Série Désir vous entraîne dans un monde de
sensualité où rien n'est ordinaire.*

*La Série Désir publie pour vous quatre
nouveautés par mois.*

Série Désir

ALANA SMITH

Sortilèges
dans les îles

Les livres que votre cœur attend

Titre original : *Whenever I Love You* (10)
© 1982, Alana Smith
Originally published by SILHOUETTE BOOKS
a Simon & Schuster division of Gulf
& Western Corporation, New York

Traduction française de : Anne Coquet
© 1983, Éditions J'ai Lu
31, rue de Tournon, 75006 Paris

1

Allongée dans le grand lit, Diana n'arrivait pas à s'endormir...

Elle ouvrit les yeux et contempla la chambre éclairée par un pâle rayon de lune. Son regard se posa sur le visage bronzé de celui qui la retenait prisonnière dans ses bras. Tendue, inquiète, elle n'osait bouger de peur de le réveiller.

Brusquement, il se retourna avec un soupir et la libéra de son étreinte. Le silence retomba, troublé par le tic-tac régulier du réveil.

Diana souleva la tête de son oreiller et attendit quelques instants, en retenant sa respiration, pour s'assurer qu'il dormait profondément. Puis elle repoussa la couverture.

Ses longues jambes se glissèrent hors du lit et ses pieds se posèrent sans bruit sur l'épaisse moquette. Elle rassembla ses vêtements éparpillés sur le couvre-lit, puis sortit de la chambre à pas furtifs. Au fond du couloir, la lumière de la salle de bains brillait. Elle entra.

Avec précaution, Diana referma la porte derrière

elle et soupira en passant une main tremblante dans ses cheveux bruns.

Le grand miroir lui renvoya l'image de sa provocante nudité. Son corps mince et élancé avait des proportions parfaites. Ses longues jambes galbées et sa bouche bien dessinée ajoutaient à sa sensualité. Seuls, ses yeux verts, légèrement en amande, contredisaient l'abandon de sa tenue : ils trahissaient la peur d'une femme prise au piège. Diana ne pouvait détacher son regard de leur reflet.

Elle baissa les paupières : cette image lui était insupportable! Elle eut un haut-le-cœur à l'idée que, pour la seconde fois de sa vie, elle était la proie d'émotions qu'elle n'avait pas su dominer. Oui, elle avait succombé à la tentation, une fois de plus, une fois de trop...

Diana se parla à voix basse pour garder son sang-froid.

– Ce n'est pas le moment de te laisser aller. Réagis! Habille-toi et va-t'en d'ici!

Le cœur battant, elle enfila à la hâte ses vêtements avec une seule idée en tête : fuir le plus vite possible, avant que la panique ne l'envahisse tout entière.

Malgré le tumulte de ses pensées et la précipitation de ses gestes, elle se rendit compte que le danger ne venait pas de l'homme paisiblement endormi dans la chambre, mais d'elle-même : en dépit d'une première expérience malheureuse, elle venait de se donner à un deuxième amant et, dans ses bras, elle avait redécouvert ce désir merveilleux enfoui en elle depuis si longtemps...

Elle s'approcha du miroir et contempla son visage désespéré. Aux souvenirs douloureux du passé se mêlaient le plaisir et l'excitation sensuelle de cette nuit. Sa raison lui dictait de s'enfuir loin de cet homme et d'oublier cette aventure, comme s'il y allait de sa vie, mais son cœur la retenait ici, auprès de celui auquel elle n'avait pas su résister.

Elle ferma les yeux pour lutter contre son désir. Que pouvait-elle espérer de cet étranger dont elle ne connaissait que le prénom? Elle avait appris à ses dépens qu'il n'y a pas d'amour heureux. Mieux valait partir tout de suite et éviter des explications embarrassées. Elle n'était pour lui qu'une aventure sans lendemain. Il ne saurait jamais qu'il avait éveillé en elle des émotions et des désirs qu'elle croyait éteints depuis longtemps...

Sa décision prise, elle enfila son manteau et ses chaussures d'un air résolu, fit un pas... Mais une force inexplicable attira son regard vers le miroir, comme s'il la narguait. As-tu vraiment envie de partir? lui demandait le reflet du sourire ironique qui se dessinait sur ses lèvres...

– Disparais d'ici, petite lâche! murmura-t-elle.

Elle détourna les yeux, éteignit la lumière et sortit sur le palier. Quelques instants plus tard, le déclic de la porte d'entrée troubla à peine le silence.

Dehors, la pluie tombait sur Los Angeles. Son bruit doux et monotone étouffa le claquement léger de ses talons sur le trottoir...

Les membres du conseil d'administration des *Cosmétiques Treneau* pénétraient peu à peu dans la vaste salle de conférence du quatorzième étage, attenante aux bureaux du vice-président David Steins. A mesure qu'ils s'installaient, les langues allaient bon train. Pourquoi les avait-on convoqués en réunion extraordinaire? La question était sur toutes les lèvres.

L'arrivée de M. Steins porta leur curiosité à son comble. Il prit place au bout de la table et tous les regards se tournèrent vers lui.

– Messieurs! Un peu de silence, je vous prie! demanda-t-il. En l'absence de M. Treneau, j'ai la charge de vous faire part de ses instructions. Les voici : il a convoqué cette assemblée pour vous présenter notre nouvelle création, le parfum Bien-Aimée, et vous demander de choisir la meilleure stratégie commerciale et publicitaire en vue du lancement de notre produit.

« Notre ambition est simple : il s'agit de convaincre chaque Américaine que Bien-Aimée fera d'elle une femme aimée. Nous lui offrirons l'image idéale d'une femme désirée, sensuelle, rayonnante et comblée à laquelle elle devra s'identifier. Notre parfum sera un cadeau d'amour, aussi extravagant et naturel qu'un somptueux bouquet de roses le jour de la Saint-Valentin.

« Telles sont les grandes lignes de notre campagne. J'insisterai toutefois sur une exigence fondamentale de M. Treneau : nous confierons à un seul mannequin la charge de représenter notre produit. C'est sur elle que reposera le succès de notre aventure. A charge pour vous de la trouver. Elle devra être exceptionnelle, cela va sans dire. Mais attention ! Nous ne voulons pas d'une image inaccessible et sophistiquée. Au contraire, celle que nous choisirons alliera à sa jeunesse l'innocence, la séduction et la féminité, pour que chaque Américaine se reconnaisse en elle.

« En résumé, les beautés glacées et hautaines sont à proscrire. Lorsque nous aurons trouvé notre mannequin vedette, nous devrons faire en sorte qu'en voyant son visage, la consommatrice l'associe aussitôt à Bien-Aimée.

Il s'interrompit quelques instants pour observer les visages attentifs tournés vers lui.

– Je pense avoir clairement exprimé les vœux de M. Treneau. Il a, comme moi, une confiance absolue en vos capacités. Je compte sur vous pour assurer la réussite commerciale de notre création.

Visiblement satisfait de son petit effet, il regarda sévèrement l'expression interdite et incrédule de ses collaborateurs.

– En conclusion, je vous rappellerai que l'enjeu de cette campagne est vital pour notre entreprise. En effet, les statistiques de vente récentes démontrent que nous ne devançons que de très peu notre principal concurrent, *Dorsini*. Si nous voulons rester la première société américaine de cosmétiques, le moment est venu de le distancer. Je vous laisse en discuter entre vous. Messieurs, merci de votre attention.

Il adressa à l'auditoire ébahi un bref signe de tête et se retira aussitôt. Des murmures incrédules et mécontents suivirent son départ. Une voix résuma l'opinion générale.

– Bon sang! Ils croient encore au miracle! Aller trouver un visage qui symbolise l'amour... C'est de la folie!

Au volant de sa Caprice noir et argent, Diana Nolan pénétra en trombe dans le garage souterrain, trouva rapidement une place et se précipita vers l'ascenseur. Le claquement de ses hauts talons fit sursauter le gardien qui somnolait. Il lui sourit en la reconnaissant.

– Bonjour, mademoiselle Nolan! En retard ce matin? C'est rare...

– Oui... et j'ai justement rendez-vous avec mon chef de service à neuf heures précises! J'ai mal choisi mon jour!

– Allons, ma petite demoiselle! Vous n'allez pas en faire un drame! On ne vous mettra pas à la porte pour autant. Et puis, avec le sourire que vous avez, qu'est-ce qu'on ne vous pardonnerait pas? dit Charlie avec bonhomie.

Son regard s'attarda rêveusement sur la silhouette parfaite de Diana, drapée dans une ravissante robe de coton vert pâle. Il eut soudain la nostalgie de la belle matinée de printemps, fraîche et lumineuse, du dehors... Le temps d'un sourire, et elle disparut dans l'ascenseur, laissant dans son sillage son parfum léger et féminin.

Arrivée au dixième étage, Diana entra directement dans le service où elle travaillait. Elle poussa la porte sur laquelle était écrit, en gros caractères: PUBLICITÉ.

La secrétaire, une jolie blonde impertinente, lui sourit et lui proposa une tasse de café.

– Vous en aurez bien besoin! Max est d'une humeur massacrante ce matin! Avec le lancement

9

de la nouvelle campagne, il travaille comme un forcené. Il m'a déjà demandé deux fois si vous étiez arrivée.

Diana prit la tasse d'un air reconnaissant.

– Merci, Maggie. Vous êtes un amour.

– Je suis bien d'accord avec vous... Mais c'est aux autres qu'il faut le dire!

La sonnerie de l'interphone bourdonna.

– Oui, monsieur Scott. Elle arrive, répondit-elle d'une voix respectueuse en adressant à Diana un clin d'œil complice.

Quelques instants plus tard, elle frappait à la porte de Maximilian Scott.

– Entrez! Je vous attendais à neuf heures précises! s'exclama-t-il avec impatience.

– Excusez mon retard, Max, mais je...

– C'est bon! Asseyez-vous et jetez plutôt un coup d'œil à ça, ordonna-t-il en lui tendant un dossier. Cette fois-ci, ce n'est pas compliqué : on nous demande l'impossible. Vous savez ce qu'on nous a dit, en haut? « Trouvez quelque chose d'original, de spectaculaire »! Comme s'il suffisait d'appuyer sur un bouton et hop! l'inspiration jaillit... Par moments, j'ai envie de tout laisser tomber!

Diana écouta ses lamentations d'une oreille distraite. Elle feuilletait attentivement les projets de slogans publicitaires. L'un d'eux attira son regard : *Bien-Aimée – éternel et enchanteur – comme l'amour.*

De son côté, Max ne démordait pas de son idée.

– S'ils croient que c'est facile de trouver *le* visage de l'amour! Si encore on nous demandait du concret. Mais non! Promettre l'éclat, la séduction, c'est trop banal, paraît-il. Ce qu'ils veulent, c'est créer une émotion, un mystère autour d'une femme qu'il nous reste encore à découvrir, d'ailleurs! Alors, Diana, dites quelque chose! lança-t-il, excédé.

– J'aime beaucoup ce nom... Bien-Aimée, murmura-t-elle en savourant sa sonorité.

– Vous trouvez? Je ne sais pas quel est l'imbécile qui a pêché ça dans un dictionnaire, mais en tout cas il n'est pas question d'en changer! dit-il d'une voix tonitruante.

– Il a l'avantage d'être doux à l'oreille et très facile à retenir. Moi, je suis persuadée qu'on peut faire une campagne fantastique avec un atout pareil! Donner l'illusion à une femme que notre parfum fera d'elle une femme aimée, c'est jouer sur du velours, sur ses rêves les plus secrets...

Diana s'installa confortablement dans son fauteuil et croisa les jambes. Tandis qu'elle se penchait pour examiner les feuillets, ses cheveux bruns retombèrent en cascade brillante autour de son joli visage.

Max se surprit à admirer la grâce naturelle et sensuelle du moindre de ses gestes. Comme à chaque fois, il lutta contre le trouble qu'elle éveillait en lui.

– Toujours est-il que ce sont les consignes, dit-il en se reprenant. A nous d'en tirer le meilleur parti. La réunion du budget a lieu dans quelques minutes. Reste à savoir quelle somme ils sont prêts à payer pour vendre leur rêve d'amour!

– Essayez d'obtenir le maximum de crédits pour notre service, Max! Dans quelques semaines, l'amour régnera grâce à nous dans le monde entier! ajouta-t-elle avec un humour enthousiaste.

– D'accord, mais il faut que le mannequin et les directeurs commerciaux soient à la hauteur; sinon, c'est sur nous que retombera la faute! Je n'aime pas mettre tous mes œufs dans le même panier. C'est un peu risqué...

Il sortit en bougonnant. Passionnée par le défi qui leur était lancé, Diana passa aussitôt dans son bureau pour se mettre au travail. Elle ne vit pas le temps passer : toute son énergie était déjà au service de Bien-Aimée.

Un petit sifflement moqueur la fit brusquement sursauter. Elle leva les yeux.

– Eh bien! On ne chôme pas, à ce que je vois! Il y

a de la promotion dans l'air pour notre jeune cadre dynamique!

– Derrick! s'exclama-t-elle, surprise. Tu fais une pause entre deux prises de vues?

– Pas du tout! Tu ne te souviens pas de nos projets de pique-nique de midi?

– Oh! Je suis désolée... j'ai complètement oublié. J'étais en retard ce matin et...

– Qu'importe! J'ai pensé à tout : sandwiches et vin à volonté. J'ai même pris mon appareil photo. Si vous voulez me faire l'honneur de votre présence... Le banc de mademoiselle est avancé dans le parc.

– Comment rester insensible à tant de galanterie?

– Impossible! Je suis irrésistible!

Ils sortirent au soleil en riant et traversèrent le boulevard qui les séparait du parc. Ils trouvèrent un banc à l'écart du bruit de la circulation, au milieu des rosiers en fleur. Le site était enchanteur : une cascade argentée rebondissait sur des rochers pour retomber dans un bassin miroitant au soleil. Une brise douce et parfumée agitait le feuillage verdoyant des arbres. Le printemps était au rendez-vous.

Tout en déballant le pique-nique, Derrick lui raconta à sa manière les derniers petits potins de l'entreprise. Avec lui, l'incident le plus banal se transformait en anecdote piquante et spirituelle. Sa vivacité d'esprit était pour Diana un sujet de rire et d'émerveillement.

– Tiens, lui dit-il en lui tendant un énorme sandwich et un gobelet de vin blanc. Bois d'abord si tu ne veux pas mourir d'indigestion!

Il éclata de rire, allongea ses jambes et exposa son visage aux rayons du soleil de midi. Stimulée par sa bonne humeur communicative, Diana l'imita.

– Mmm... que c'est agréable! Je ne sais pas comment tu fais, mais tu n'as jamais l'air de t'ennuyer!

– Parce que je ne pense pas qu'au travail, moi! Si

je ne m'abuse, tu ne vis déjà plus que pour Bien-Aimée, n'est-ce pas? dit-il en remplissant les gobelets.

– Tiens, tiens... Monsieur l'Ambitieux s'y intéresse donc, lui aussi?

– Et comment! répliqua-t-il, brusquement sérieux. Figure-toi que je compte bien relever le défi. C'est le moment ou jamais de me faire un nom dans le milieu de la photographie. Quand ils auront choisi leur déesse, je veux être celui qui l'immortalisera!

Sa gravité et son enthousiasme enfantins la firent sourire.

– A t'entendre, je serais presque tentée d'y croire!

– Je t'interdis d'en douter! dit-il en se redressant. Après tout, que cherchent-ils? La même chose que les photographes : créer une illusion qui ressemble à la vie! Un négatif, c'est un peu de chimie... et beaucoup de magie! J'ensorcelle mon modèle, je dévoile son âme secrète et je la fixe à jamais sur la pellicule. Je suis un enchanteur. Un tour de passe-passe et le rêve est là : le mirage attire le public comme un aimant!

Dans son élan, il bondit sur ses pieds et força Diana à se lever.

– Viens, je vais te montrer. Pendant quelques minutes, tu seras Bien-Aimée, et moi, le magicien!

– Tu es fou! dit-elle en riant.

– Sans un petit grain de folie, pas de magie! Il ne manque rien : ni le décor ni l'inspiration. Allez, Diana, fais-moi plaisir. Pose pour moi!

– Puisque tu y tiens... je veux bien jouer les cobayes!

– Parfait! Pendant que je me prépare, va t'installer là-bas, sur le rocher près de la cascade. Ne pense à rien. Ecoute-moi et laisse-toi aller.

Il ne voulait pas donner à Diana le temps de réfléchir. Il passa la courroie de l'appareil autour de son cou, fit rapidement la mise au point et commença la séance.

– Tu es prête? Redresse un peu la tête, vers la gauche. Ferme les yeux... Pense à la chaleur du soleil sur ta peau. Détends-toi, respire profondément et quand tu rouvriras les yeux, sois rêveuse. Vas-y, Diana, envoûte-moi!

Elle entendit à peine le déclic. L'instant était déjà fixé sur la pellicule.

– Maintenant, secoue tes cheveux, appuie-toi sur tes mains et regarde le ciel bleu...

Tout en parlant, Derrick la photographia sous différents angles de vue. Pris à son propre jeu, il se rendit compte qu'il se passait quelque chose de magique : Diana était un modèle sensationnel.

– Parfait! Tourne ton visage vers moi, par-dessus ton épaule, très lentement... N'aie pas l'air timide, sois naturelle.

Au déclic, l'instant fut gravé à jamais.

– Fantastique! Encore une, Diana, la plus belle! Ecoute bien ce que je vais te dire : pense à ce que tu as éprouvé la dernière fois que tu t'es donnée à un homme...

A ces mots, elle rougit et baissa pudiquement les yeux. C'était exactement ce qu'il avait voulu provoquer.

– Tu es dans les bras de cet homme, il t'enlace... Un frisson parcourt ta peau au moment où vos deux corps se touchent...

La voix de Derrick lui parvenait assourdie : ses paroles avaient réveillé en elle un souvenir vieux de quelques heures à peine. Au plus profond de son être, elle revivait ses caresses et sa peau frémissait d'un désir encore inassouvi. Elle sentait, au creux de ses paumes, le dos lisse et musclé de son amant, ses larges épaules, la toison dorée de sa poitrine... Elle voyait ses lèvres douces et sensuelles descendre lentement vers les siennes, avides de baisers...

Fasciné par l'expression mystérieuse qui rayonnait sur le visage de Diana, Derrick s'était approché d'elle et prenait cliché sur cliché.

Ses yeux verts s'étaient posés sur lui, mais c'était un autre qu'elle voyait. Le visage qu'elle contem-

14

plait lui souriait, ensorcelant. Ses yeux l'appelaient, ses mains glissaient sur sa peau nue... Brusquement, toute résistance l'abandonnait : entraînée par le flot de ses émotions, elle se donnait enfin à lui...

Derrick observait la métamorphose qui s'opérait en elle et continuait à diriger sa rêverie.

– Maintenant, tu es dans ses bras, Diana... Tu sens le plaisir monter en toi, vous êtes seuls au monde...

Oui, elle avait connu ce moment d'extase, ce désir intense qu'avait éveillé en elle ce corps viril, fort et doux...

Diana avait oublié la réalité : elle n'entendait plus que la voix lointaine de Derrick et le clapotis de la cascade où elle faisait courir ses doigts. Sur la surface de l'eau lui apparaissaient des yeux d'ambre qui la contemplaient intensément. Fascinée, elle ne pouvait détacher son regard du sourire moqueur qui se dessinait sur le visage de son amant...

– Souris, disait Derrick d'une voix persuasive. Souris comme sourient toutes les femmes du monde quand elles sont amoureuses... Oui, c'est ça! Mystérieuse...

Il prit le dernier cliché et la saisit à bras-le-corps avec enthousiasme. Elle revint brusquement à la réalité.

– Diana, tu es un ange! répétait-il.

– Derrick! Je n'ai pas envie de me donner en spectacle!

Avec un éclat de rire, il la relâcha, posa ses bras sur ses épaules et son front contre le sien.

– On ne t'a jamais dit que tu étais un modèle de rêve?

– Non, mais toi, tu es plus sorcier que magicien! Par ta faute, je suis encore en retard! Parfois, je me demande qui de nous deux est le plus fou – de toi, qui veux m'entraîner dans tes rêves, ou de moi, qui ai accepté de les partager!

Elle s'écarta de lui pour couper court à la discussion.

– Je dois partir maintenant. Avec un peu de

chance, tu trouveras peut-être une autre Bien-Aimée à immortaliser!

Elle ne lui laissa pas le temps de répondre et rebroussa chemin pour se perdre parmi la foule des promeneurs.

Derrick la regarda s'éloigner d'un air songeur. Lentement, il rangea son appareil dans une sacoche. Un petit sourire de triomphe illuminait son visage.

2

Une enveloppe à la main, Derrick Jerrard poussa la porte du café où se retrouvaient les habitués de la pause de dix heures. Il salua quelques connaissances au passage avant d'apercevoir la chevelure rousse de Vicky, qu'il rejoignit aussitôt.

– Bonjour, ma belle! J'avais peur de ne pas te trouver, dit-il en s'asseyant en face d'elle.

Vicky Shelton eut un petit sourire sarcastique.

– Contrairement à certains, je tiens parole, moi!

– Tu ne vas pas recommencer! Je me suis déjà excusé pour le week-end dernier. Ce n'est tout de même pas ma faute si ma petite sœur est arrivée à l'improviste!

– Ta petite sœur! A d'autres! Comme par hasard, on t'a vu dans une soirée mondaine au bras de la nouvelle secrétaire du chef du personnel. Tu ne perds pas de temps! C'est la maîtresse d'un grand patron?

Derrick posa la main sur celle de Vicky.

– Quand cesseras-tu d'écouter ces racontars? Cette fille est la nièce de Maximilian Scott. Je l'ai invitée pour rendre service à Max. Je ne vois pas où

17

est le mal! Comme je me doutais que tu ne me croirais pas, je me suis inventé une petite sœur. J'aurais dû te faire confiance, soit, mais les choses s'arrêtent là!

Son sourire candide, son regard droit et sincère auraient fait fondre le cœur le plus dur. Vicky n'échappait pas à la règle.

– Je n'en crois pas un mot, mais je n'ai pas envie de discuter, dit-elle en soupirant. Pourquoi tenais-tu absolument à me voir aujourd'hui?

Il préféra ne pas répondre avant d'être certain qu'il était pardonné. Il commanda un autre café pour elle, un sandwich et un jus de fruit pour lui, s'installa confortablement dans son fauteuil et lui alluma une cigarette.

– C'est trop bête, Vicky. Je ne veux pas qu'il y ait d'ombre entre nous. Tu sais que tu es ma dame de cœur...

A ces mots, elle éclata de rire en secouant sa jolie tête rousse.

– Oui, je sais... tous les vendredis soir, je suis la seule femme au monde!

– Tu deviens cynique à force de travailler pour Steins!

La serveuse apporta les consommations. Après son départ, il sentit que le moment était venu d'avouer à Vicky la raison de ce rendez-vous.

– J'ai un service à te demander...

– J'aurais dû m'en douter! De quoi s'agit-il encore? Tu veux que je te recommande à quelqu'un d'important? Le succès ne vient pas assez vite à ton goût?

– Je ne plaisante pas. La preuve : ça nous concerne tous les deux.

– La dernière fois, j'ai failli perdre mon travail à cause de toi! Non, tête brûlée, tu ne m'y reprendras plus!

– Ecoute au moins ce que j'ai à te dire! Le vieux Steins passe des nuits blanches à essayer de trouver *là* femme qui symbolisera Bien-Aimée. Toute la direction est sur le pied de guerre. Tu ne peux pas prétendre le contraire? Eh bien, moi, j'ai trouvé la solution à leur problème : elle est dans cette enveloppe. Si tu joues bien ton rôle, je te garantis un joli petit bénéfice à la clef! Alors?

— Impossible! La nouvelle campagne est « top secret » : tu n'es pas censé être au courant. Renonce à tes projets, Derrick.

— Pas question! Regarde toi-même : Bien-Aimée est dans cette enveloppe!

Vicky ne cachait ni sa réticence ni son incrédulité, mais il savait que sa curiosité serait la plus forte. Il ne s'était pas trompé : sa moue disparut et son regard se mit à scintiller. Elle était trop ambitieuse pour laisser passer une occasion pareille. Gagné! songea-t-il, soulagé.

— Les photos sont excellentes. Qui est le mannequin?

— Chaque chose en son temps! Tu as vu les autres candidates chez Steins? Tu ne crois pas que la mienne a sa chance?

Un petit sourire rusé se dessina sur les lèvres de Vicky.

— Qu'est-ce que tu attends de moi au juste?

— Que tu te débrouilles pour que Steins voie ces photos. Tu penses bien qu'elles vont l'intéresser! De plus, il sera certainement sensible à ta loyauté et à ton dévouement. N'oublie pas d'attirer son attention sur le jeune photographe de talent qui a découvert l'introuvable Bien-Aimée!

Sur ces mots, il leva son verre à la réussite de leur association et lui adressa un clin d'œil complice.

— Je te revaudrai ça, Vicky!

Ils trinquèrent et se regardèrent un moment en silence.

— Et ce n'est ni la première ni la dernière fois, je le crains! soupira-t-elle. Un jour, ce sera peut-être la bonne... pour moi!

Elle eut un petit sourire diabolique.

— Je te laisse régler l'addition. Je n'ai pas eu le temps de déjeuner ce matin. J'en ai profité pour le faire avant ton arrivée. A bientôt, Derrick!

Elle prit l'enveloppe et sortit du café avec un déhanchement désinvolte.

Derrick, songeur, la suivit du regard : le sort en était jeté !

David Steins se cala confortablement dans son fauteuil et contempla longuement les photographies, sans un mot. Pour Vicky Shelton, l'attente et le silence devenaient insupportables.

— Voulez-vous me rappeler le nom de ce photographe ?

Elle essaya de rester calme : surtout, ne montrer aucune précipitation !

— Derrick Jerrard, monsieur. Il travaille depuis peu au service Promotion.

Sans détacher ses yeux de la photo, Steins ralluma sa pipe et tira une bouffée d'un air songeur.

— Je sais qu'il est tard, mais je vous demande d'essayer de trouver son numéro de téléphone personnel dans le fichier. Informez-le que je désire le voir immédiatement.

— Tout de suite, monsieur.

Elle allait sortir lorsqu'il la rappela.

— Mademoiselle Shelton ! Je suis très sensible à l'intérêt que vous portez à notre campagne. En d'autres circonstances, votre initiative aurait été déplacée, mais elle me paraît justifiée aujourd'hui. Je puis vous affirmer que ma reconnaissance sera à la hauteur du service rendu. Bonsoir.

— Merci, monsieur, répondit-elle en dissimulant sa joie.

Elle alla aussitôt annoncer la grande nouvelle à Derrick.

Trois jours après son entrevue confidentielle avec Derrick Jerrard, David Steins emprunta l'ascenseur privé qui le conduisit au quinzième étage des *Cosmétiques Treneau*. Il était l'un des rares privilégiés autorisés à pénétrer dans le saint des saints : la suite de Paul Treneau. Après de nombreuses années de collaboration, David avait appris à mieux connaî-

20

tre son patron : le célèbre roi de la cosmétologie n'était ni un excentrique ni un solitaire. Bien que P.-D.G. d'un immense empire, il détestait la publicité qui entoure inévitablement la vie privée de ces êtres hors du commun. Malgré la confiance et le respect que Paul lui témoignait, David se sentait écrasé par sa forte personnalité et son autorité absolue.

Avant de frapper à la porte d'onyx noir, il s'assura que sa tenue était irréprochable, puis entra. Ne le voyant pas à son bureau, il le rejoignit dans le petit salon attenant, séparé de la pièce de travail par un paravent oriental.

Paul Treneau était installé sur un canapé bleu roi orné de fleurs de lotus et garni de coussins assortis. Ce décor ancien et raffiné contrastait avec son allure masculine et résolument moderne.

– Asseyez-vous, David. Vous partagerez bien mon petit déjeuner?

– Merci, Paul. Je prendrai juste un peu de thé. Je surveille ma ligne en ce moment, dit-il en posant sa serviette de cuir à ses pieds.

– Venez donc faire un peu de jogging avec moi le matin. C'est très efficace!

Il suffisait de le regarder pour s'en convaincre : Paul avait un splendide corps d'athlète. Dans sa chemise de soie blanche et son pantalon décontracté, il paraissait plus jeune que ses trente-six ans. C'était à croire que ses lourdes charges lui réussissaient! Jamais il n'avait été aussi énergique et dynamique! A côté de lui, Steins se sentait vieux, fatigué par le poids de ses responsabilités.

– Vous étiez pressé de me voir, David?

– Oui. J'ai sélectionné trois candidates pour la nouvelle campagne. Je pense que la décision finale vous revient de droit.

Nonchalant, Paul buvait son thé à petites gorgées.

– J'ai toujours eu confiance en votre jugement, David. Vous savez exactement ce que nous recherchons.

– C'est juste, mais j'aimerais connaître votre opinion. L'enjeu est terriblement important...

– Votre hésitation me surprend, dit-il en posant sa tasse sur un coffre laqué. Où est passé votre goût du risque?

– Je suis prudent, pas téméraire, Paul! Voulez-vous regarder ces photographies? dit-il en les lui tendant.

Intrigué par le comportement inhabituel de Steins, Paul accepta d'examiner les épreuves. Il jeta un coup d'œil à la première.

– Non, pas une blonde. C'est trop banal, on en voit partout.

Il passa à la seconde.

– Jolie... beau regard pur... Mais les rousses ne peuvent pas porter n'importe quelle couleur. Photogénique en tout cas. C'est une possibilité à retenir.

Pour Steins, le moment de vérité était arrivé : c'était le test de la troisième photographie, qu'il avait délibérément placée en dernier. Paul la contempla sans mot dire. Le silence devint pesant. David se demanda s'il n'avait pas fait une erreur de jugement. Seul, un léger tressaillement témoigna de l'intérêt que Paul portait à ce visage.

– Qui est-ce?

– Son nom est Diana Nolan. Je vous avoue franchement que c'est elle que j'ai choisie. L'ennui, c'est qu'elle n'est pas mannequin professionnel, mais elle en possède toutes les qualités. A mon avis, elle atteint et dépasse même nos espérances. Je la trouve absolument exceptionnelle! D'ailleurs, l'histoire de ces photographies est extraordinaire, elle aussi!

Paul ne détachait pas les yeux de la photo : impossible de deviner ce qu'il en pensait.

– Je vous laisse juge : d'un côté, tous nos services mobilisés dans le pays entier pour découvrir celle qui représentera Bien-Aimée. Résultat : néant! De l'autre, une banale histoire de pique-nique entre deux amis : un jeune photographe plein de talent et d'ambition et notre inconnue. Il la photographie

22

pour s'amuser et crée sans le savoir l'image idéale que nous cherchons. Incroyable, non? Le plus drôle, c'est que cette femme ignore que je possède les clichés qui vont peut-être transformer sa vie! J'ai pris contact avec ce jeune professionnel, mais je n'ai voulu lui faire aucune proposition avant de vous avoir consulté. Quant à moi, je suis persuadé que nous avons trouvé notre perle rare!

Paul posa la photo sur ses genoux, le regard fixé droit devant lui.

– Je veux que vous obteniez tous les renseignements possibles sur cette femme dans les heures qui suivent, dit-il d'une voix grave. Je veux tout savoir d'elle – y compris ce qu'elle a pris au déjeuner ce matin. Revenez me voir dès que vous aurez ces informations. Je la recevrai personnellement. Tenez-vous prêt à lancer la campagne.

Steins se sentit soulagé d'un grand poids : il avait eu raison de se fier à son intuition. Au moment de partir, il se retourna vers Treneau, qui n'avait pas bougé.

– Et vous ne savez pas encore le fin mot de l'histoire! Comble d'ironie, Diana Nolan travaille ici même, dans le service Publicité!

Sur ces mots, il se retira, satisfait d'avoir accompli son devoir. A présent, c'était à Paul de jouer!

Resté seul, Paul Treneau se mit à la fenêtre. Il réfléchit à la dernière remarque de son collaborateur. Ses traits se durcirent; ses yeux étincelèrent d'une volonté farouche.

– Tu ne croyais pas si bien dire, cher David! murmura-t-il. C'est ce qu'on appelle l'ironie du sort...

Diana leva la tête : cinq heures déjà! Tous les employés s'apprêtaient à sortir. Elle s'étira en poussant un soupir : pour elle, pas de répit! Sa journée de travail était loin d'être terminée. Elle parcourut d'un œil maussade les piles de dossiers qui encombraient son bureau et fouilla son tiroir en quête d'un peu de monnaie pour s'offrir un café. Un petit bruit la fit sursauter : Max était entré dans son bureau.

– Vous m'avez fait peur!

– Désolé. Je voulais vous dire un mot avant de partir, dit-il avec un regard étrange.

– Bien sûr, répondit-elle en désignant un fauteuil.

Il fit non de la tête et joua nerveusement avec les pièces de monnaie qui sonnaient dans ses poches. Perplexe, Diana lui lança un regard interrogateur.

– Que puis-je faire pour vous?

– Vous êtes convoquée à la direction. M. Treneau vous attend à sept heures dans son bureau, annonça-t-il sans ménagements.

– Il veut me voir? Mais pourquoi?

Elle était totalement abasourdie.

– J'ai reçu l'ordre de vous transmettre ce message, un point c'est tout. Un conseil pourtant : n'arrivez pas en retard!

Il tenta de dissimuler son inquiétude derrière un sourire de commande et s'apprêta à repartir.

– Max! Vous avez tout de même bien une idée de la raison de ma convocation!

Il haussa les épaules et baissa les yeux.

– La campagne pour Bien-Aimée, marmonna-t-il avant de claquer la porte derrière lui.

Stupéfaite, Diana se laissa retomber sur son siège. Que diable M. Treneau pouvait-il espérer d'une entrevue avec elle? Pourquoi elle plutôt qu'un chef de service? Et puis cette hostilité de Max à son égard... C'était à n'y rien comprendre!

À six heures et demie, Diana rangea son bureau : il était trop tard pour se remettre au travail et de toute manière elle en était bien incapable. Elle ne pensait plus qu'à une chose : son rendez-vous inattendu avec le mystérieux Paul Treneau!

Depuis son arrivée dans l'entreprise, elle avait entendu toutes sortes de rumeurs le concernant. La discrétion dont il s'entourait faisait jaser ceux qui n'étaient pas dans le secret des dieux. Il courait sur lui bien des légendes. Comme tout le monde, Diana était étonnée par le soin qu'il mettait à préserver son intimité.

Une chose était certaine : Paul Treneau menait une vie très retirée. Il détestait la vie mondaine et la publicité tapageuse. Il partageait son temps entre sa suite du quinzième étage, dont il entrait et sortait par un accès strictement privé, et sa luxueuse retraite, sur la petite île de Kauai. Rares étaient les personnes qui avaient eu l'honneur de le rencontrer personnellement. Seul, David Steins, son bras droit, entretenait avec lui des relations personnelles et professionnelles régulières. Du moins... jusqu'à aujourd'hui !

Mais pourquoi, pourquoi moi? ne cessait-elle de se demander. L'idée de rencontrer cet homme tout-puissant l'intimidait, mais elle était curieuse et presque impatiente de confronter l'homme à sa légende. A en croire les histoires qui couraient sur lui, celui qu'elle s'apprêtait à rencontrer ne pouvait être qu'un dieu... ou le diable en personne !

Diana consulta sa montre : sept heures moins vingt! Elle sortit son poudrier de son sac, retoucha son maquillage, brossa ses cheveux et se contempla pensivement dans son miroir de poche.

Ses yeux en amande, couleur de jade, lui donnaient un charme exotique que rehaussaient l'arcade parfaite de ses sourcils et la courbe de ses longs cils. Elle appliqua sur ses lèvres pleines et sensuelles un peu de rouge et se regarda une dernière fois avant de refermer son poudrier. Elle remit en place le col de son chemisier blanc incrusté de dentelle, puis passa ses mains sur sa taille fine pour aplatir sa jupe noire. Malgré sa nervosité, elle était heureuse de porter pour l'occasion sa tenue préférée. Elle prit son sac, éteignit la lumière et sortit.

Ses pas résonnèrent dans le couloir sombre et désert qui menait à l'ascenseur. Arrivée au quatorzième, elle emprunta la cabine privée qui la fit monter au mystérieux et légendaire quinzième étage en l'espace de quelques secondes. Lorsque les portes s'ouvrirent, elle fut presque déçue de constater qu'il ressemblait en tous points aux autres : elle qui avait cru pénétrer dans une sorte de sanctuaire secret!

Le cœur battant, elle frappa quelques coups discrets à la porte d'onyx noir. Une voix masculine l'invita à entrer, ce qu'elle fit sans attendre.

Le bureau était plongé dans la pénombre. Seule, une petite lampe de bronze dessinait un rond de lumière sur un fauteuil vide. Diana essaya de percer l'obscurité : Paul Treneau était invisible!

— Asseyez-vous, je vous prie! ordonna une voix surgie de l'ombre.

Docilement, elle prit place dans le fauteuil, sous la lampe.

— Voulez-vous un verre de sherry, mademoiselle Nolan?

— Oui, merci, répondit-elle en espérant qu'il se montrerait.

— La carafe et le verre sont sur le bureau. Servez-vous.

Il avait vraiment pensé à tout! Elle se versa un doigt de sherry d'une main tremblante. Même sans le voir, elle sentait qu'il épiait tous ses gestes. Le silence la mettait à la torture. Diana retourna s'asseoir et but à petites gorgées, sans cesser de guetter la direction d'où venait la voix. Une vague silhouette bougea imperceptiblement. Elle la suivit du regard.

— Je constate que vous êtes très ponctuelle, comme d'habitude. Votre retard, il y a quelques jours, était sans doute l'exception à la règle.

Mal à l'aise, elle eut l'impression d'avoir déjà entendu cette voix. Mais où et dans quelles circonstances? Elle continua à boire pour se donner une contenance et dissimuler son embarras.

— Etant donné que vous avez l'habitude de faire vos courses pour la semaine tous les mercredis en sortant, j'essaierai d'être le plus bref possible.

Interdite, elle ouvrit de grands yeux étonnés :

qu'il sache qu'elle était arrivée une fois en retard, passe encore, mais de là à connaître son emploi du temps en dehors des heures de bureau, il y avait tout de même une différence!

– Non, je n'ignore rien de vous, mademoiselle Nolan, poursuivit-il comme s'il avait deviné ses pensées.

Les yeux de Diana s'étaient accoutumés à l'obscurité : elle distinguait une large silhouette assise derrière le bureau.

– L'intérêt que vous portez à ma vie privée me flatte, mais je n'en comprends pas la raison!

– Elle est simple : je voulais tout savoir de vous... excepté ce que je connaissais déjà, bien entendu.

Dans la pénombre, la silhouette avança d'un pas.

– Car voyez-vous, Diana, nous nous sommes déjà rencontrés une fois...

D'où lui venait cette sensation déroutante d'avoir entendu cette voix quelque part et pourquoi se sentait-elle aussi mal à l'aise?

– Excusez-moi, monsieur Treneau, mais je n'en ai pas gardé le souvenir.

Il émergea lentement de l'ombre pour venir se placer devant elle, en pleine lumière. Incrédule, elle écarquilla les yeux.

– Paul! murmura-t-elle dans un souffle.

– Oui, Diana. Je vous dois au moins de vous révéler ma véritable identité.

Elle blêmit. Il remplit son verre et le lui tendit.

– Buvez. Vous en avez bien besoin...

Encore sous le choc, elle obéit machinalement et porta le verre à ses lèvres. Paul la contemplait d'un œil pénétrant.

– Vous vous sentez mieux maintenant? Sans doute vous demandez-vous pourquoi je vous ai convoquée ici ce soir?

– C'est... c'est incroyable... bredouilla-t-elle.

Il lui répondit d'un sourire moqueur.

– Que voulez-vous dire? Que je sois Paul Treneau, ou que le hasard nous réunisse à nouveau?

– Les deux!

Elle releva fièrement le menton et le regarda droit dans les yeux. Il l'observa d'un air narquois.

– Vous n'avez pas l'air de trouver ça bizarre! ajouta-t-elle, interloquée.

– Peut-être pas tout à fait autant que vous, en effet.

Ses yeux noisette avaient le même éclat que dans son souvenir, mais il n'y avait plus de tendresse dans son regard. Leur dureté les faisait ressembler à deux pierres précieuses, rehaussant ses traits anguleux.

– Si je vous ai fait venir ce soir, ce n'est pas pour célébrer nos retrouvailles, mais pour discuter de la promotion de Bien-Aimée.

Et sa voix glaciale en était la preuve! Diana essaya de dominer son émotion en adoptant le même ton que lui.

– Quel aspect désirez-vous aborder, monsieur Treneau?

– Celui-ci en particulier, dit-il en lui tendant une enveloppe.

Une lueur intense dansa dans ses yeux d'or. Elle baissa les paupières, décidée à lui cacher à quel point il la troublait. Le contenu de l'enveloppe acheva de la déconcerter!

– Des photos de moi? Je ne comprends pas. Quel est le rapport avec Bien-Aimée?

Treneau pivota sur son fauteuil et but lentement une gorgée de sherry, comme pour mieux savourer sa victoire.

– Ces photographies sont celles du visage que nous avons choisi pour représenter Bien-Aimée. Cette femme n'est autre que *vous*!

Un instant incrédule, Diana éclata de rire. Ce fut au tour de Paul d'être surpris.

– Je ne vois pas ce qu'il y a de drôle! répliqua-t-il sèchement.

– C'est une plaisanterie! J'ai accepté de poser pour faire plaisir à un ami. Les photos se sont sans doute glissées par erreur parmi celles des autres

28

candidates. C'est un malentendu ridicule! expliqua-t-elle.

— Absolument pas! dit-il en contournant le bureau pour venir se placer devant elle. Votre visage est celui de Bien-Aimée.

— Monsieur Treneau! Votre choix me flatte beaucoup, mais je n'en ai aucune envie! J'ai un métier qui me plaît. Je n'ai jamais rêvé de devenir mannequin!

— Malheureusement, votre poste a été libéré ce soir même et nous avons déjà engagé une remplaçante. J'ai bien peur que vous ne puissiez plus refuser.

C'était un véritable coup monté! Abasourdie, elle vit Treneau lever son verre, comme s'il fêtait ce licenciement... Folle de rage, elle se retint de ne pas gifler cet homme arrogant et sûr de lui.

— De quel droit avez-vous décidé pour moi? Pourquoi?

Leurs regards se croisèrent : tous deux étincelaient. Treneau se redressa.

— Pourquoi vous offrir la chance de devenir l'une des femmes les plus adulées au monde? Vous proposer un salaire exorbitant et une vie dont peu de femmes oseraient rêver? Pourquoi?

Ses yeux se posèrent sur le visage de Diana. Lentement, il en dessina le contour et lui fit relever le menton pour la regarder droit dans les yeux.

— A cause de votre mystérieux visage, Diana... Un autre saurait captiver l'attention du public : le vôtre saura conquérir son cœur!

Sa conviction était si sincère, ses yeux si ardents que le pouls de Diana se mit à battre à tout rompre.

— D'ailleurs, qui pourrait se vanter d'y résister? ajouta-t-il, sarcastique, en laissant retomber sa main.

Il alla se rasseoir et joignit les mains d'un air songeur.

— Il est trop tard pour reculer, Diana : tous les

rouages sont déjà en place. Je n'ai pas de solution de rechange... et vous non plus.

Il avait raison, mais, révoltée par la désinvolture avec laquelle il la traitait, elle lui lança un regard étincelant de colère.

– Je n'ai aucune expérience de ce genre de proposition. Quels sont les termes exacts de votre offre? Je n'accepterai pas n'importe quoi, je vous préviens.

Il ne put s'empêcher de sourire : que sa victoire avait été facile!

– Je vais essayer de résumer clairement le contrat que nous vous proposons. Premièrement, vous serez l'ambassadrice exclusive de Bien-Aimée et cela dans tous les domaines de notre campagne de lancement : tournées de promotion à travers le pays, publicité dans les magazines et à la télévision, et, à l'occasion, rendez-vous d'affaires avec d'éventuels acheteurs, qu'il vous faudra convaincre avec tact et subtilité.

« Deuxièmement, nous vous offrons en échange le remboursement de tous vos frais et un salaire mensuel de cinquante mille dollars. Au terme de cette première phase de lancement, lorsque notre produit sera solidement implanté, vous serez libre de vous retirer ou de renouveler votre contrat avec les *Cosmétiques Treneau* : dans ce dernier cas, vous profiteriez d'un intéressement aux bénéfices.

« Vous disposez de quelques jours pour étudier ce contrat avec votre avocat, mais je veux qu'il soit signé avant votre départ pour Kauai à la fin de la semaine.

– Kauai...?

– C'est là que commencera la fabuleuse aventure de Bien-Aimée, mademoiselle Nolan, expliqua-t-il avec autant d'indifférence que s'il s'agissait de prendre un taxi.

– Je... je ne vois pas comment je pourrais refuser, s'entendit-elle répondre.

Il leva son verre et plongea ses yeux dans les siens.

– A Diana Nolan – déesse et Bien-Aimée!

Elle contempla le séduisant visage de Paul d'un air rêveur : comment imaginer que derrière ce robot sans cœur se cachait l'homme qui l'avait enlacée avec une passion qu'elle ne pouvait oublier?

A son tour, elle leva la main : le tintement cristallin de leurs verres entrechoqués marqua leur accord.

Diana comprit alors l'invraisemblable vérité : elle venait d'accepter la proposition un peu folle de celui qu'elle avait justement fui quelques jours seulement auparavant. Pis encore, la fascination qu'il exerçait sur elle n'avait cessé d'augmenter. Il l'attirait comme la flamme attire le papillon... irrésistiblement... Le sort avait décidé à sa place!

– J'espère vous avoir convaincue de l'honorabilité de notre entreprise? demanda-t-il, moqueur.

– Je me moque de *votre* honorabilité, monsieur Treneau! répliqua-t-elle en relevant fièrement la tête.

Il éclata de rire et accueillit sa protestation avec un regard aigu – à la fois provocateur et prometteur. Puis il vida lentement son verre.

Treneau était un être imprévisible, un mélange détonant de feu et de glace... Elle décida de partir pour échapper à la séduction qui émanait de lui.

– Je consulterai mon avocat, je vous préviens! lui lança-t-elle sur le pas de la porte.

Une lueur amusée dansa dans ses yeux d'or.

– Et moi le mien! J'espère que Kauai sera profitable pour vous comme pour moi!

Elle sortit sans se retourner. En attendant l'ascenseur, elle posa son front contre une colonne de marbre, pour se raccrocher à quelque chose de réel...

En l'espace de quelques minutes, sa vie avait changé du tout au tout : elle était prise au cœur d'un tourbillon vertigineux. Sur le plan professionnel, l'assistante en publicité qu'elle était se retrouvait brutalement sous les feux des projecteurs,

promue au rang de mannequin vedette d'un véritable empire commercial. Sur le plan sentimental, ses
retrouvailles inattendues avec Paul avaient réveillé
en elle le souvenir des heures passionnées qu'ils
avaient passées dans les bras l'un de l'autre...

3

En ouvrant les yeux, Diana regarda les rideaux de sa chambre se gonfler sous la brise parfumée. Elle s'étira paresseusement dans ses draps frais et se prélassa un moment au soleil avant de se décider au suprême effort : se lever!

Brusquement, elle se figea : il y avait quelqu'un au pied de son lit! Abasourdie, elle cligna les yeux comme pour s'assurer qu'elle ne rêvait pas : non, c'était bien Paul Treneau!

— Bonjour, dit-il posément.

Son regard se posa sur le délicieux désordre de son déshabillé vaporeux, puis s'attarda complaisamment sur ses longues jambes dorées pour remonter jusqu'à ses joues rouges de confusion.

— Bonjour, murmura-t-elle en remontant une bretelle sur son épaule nue, sous l'œil attentif de Paul.

— Voulez-vous prendre votre petit déjeuner dans votre chambre ou le partager avec moi sur la terrasse?

— Si vous me laissez le temps de me préparer, je descendrai vous rejoindre.

Une lueur amusée dansa dans ses yeux : l'embarras de Diana ne semblait pas lui déplaire...

– Entendu. Je vous attendrai en bas. Oh! A propos! Ce blanc virginal vous va à ravir. Pensez-y pour les photos!

Sur ces mots, il disparut aussi silencieusement qu'il était apparu.

Agacée, Diana se leva aussitôt. Paul était vraiment déconcertant : il avait le don de la surprendre aux moments où elle s'y attendait le moins. D'ailleurs, de quel droit se permettait-il d'entrer sans frapper, de la traiter comme un objet et d'exiger qu'elle lui obéisse au doigt et à l'œil?

Tout en s'habillant, elle songea au tourbillon qu'avait été sa vie depuis leur première rencontre, dans une réception mondaine et ennuyeuse offerte par l'un des directeurs de l'entreprise.

Ce soir-là, elle s'était sentie plus désespérée, plus seule que jamais. Alors, le vin aidant, elle avait oublié sa méfiance et sa prudence. Paul avait réussi, en l'espace de quelques heures, à apprivoiser la farouche Diana, à vaincre peu à peu sa résistance et à éveiller en elle la passion qui dormait depuis trop longtemps...

Elle se souvenait encore de la fièvre qui s'était emparée d'elle, impérieuse, inexplicable. Oui, seules ses caresses avaient su apaiser le trouble qu'il avait suscité en elle. Il l'avait rassurée, comblée...

Pourquoi s'était-elle jetée tête baissée dans cette aventure sans penser au moment inévitable où l'ivresse éphémère s'estompe pour laisser la réalité reprendre brutalement ses droits?

De tout son être, elle avait voulu croire à l'impossible, ne serait-ce que pour un soir... se donner l'illusion que tout pouvait recommencer! Elle était trop sentimentale, voilà tout.

Comment Paul aurait-il pu deviner ou comprendre les raisons de son comportement? Elle n'avait été pour lui qu'une conquête facile et sans lendemain... Mais, de ce qu'elle avait ressenti au plus profond de son cœur, il ignorait tout.

Elle se rappela l'angoisse qui s'était emparée d'elle cette nuit-là, au creux de ses bras, à l'idée du moment où il se réveillerait : plutôt fuir que de supporter des explications embarrassées et la honte de se voir congédiée au petit matin! C'était insupportable! Paul ne lui avait même pas demandé son nom de famille : pourquoi l'aurait-il fait, puisqu'elle n'était rien pour lui?

Pourtant, tout cela avait été inutile. Paul Treneau l'avait retrouvée. Tôt ou tard, Diana serait obligée d'affronter les conséquences de son incorrigible romantisme!

Et voilà qu'à présent, elle s'apprêtait à rejoindre celui qu'elle avait cru pouvoir oublier! C'était compter sans l'indéniable séduction qu'il exerçait sur elle... et que sa volonté seule ne suffisait pas à effacer!

La terrasse baignait dans la tiédeur du soleil matinal. Du jardin montait le parfum grisant des fleurs sauvages. Elle contempla le paysage d'une beauté à couper le souffle. La maison, construite en haut d'une colline, dominait les terres qui s'étendaient à perte de vue. La végétation tropicale était d'un vert luxuriant. A droite, à l'aplomb d'une pente abrupte, une cascade rugissante rebondissait sur un surplomb rocheux, mêlant son écume blanche à l'eau calme et bleue d'une lagune en contrebas.

– Superbe, n'est-ce pas? demanda Paul Treneau.

– Oui, murmura-t-elle en jetant un coup d'œil vers lui.

Les mains enfoncées dans les poches de son pantalon blanc, il contemplait lui aussi le paysage.

– Après le petit déjeuner, je vous emmènerai dans la lagune. J'ai caressé l'idée de m'en servir comme toile de fond pour certaines prises de vues et je suis impatient de vous découvrir dans ce cadre. Venez.

Il la fit passer devant lui dans l'escalier qui conduisait à un petit belvédère, entouré d'un treillis de bois blanc.

Diana monta d'un pas léger. Son pantalon de

coton crème soulignait les formes harmonieuses de son corps élancé. Paul s'installa dans un fauteuil. Il avait l'air soucieux. Les rayons du soleil allumaient des reflets d'or dans ses cheveux fauves. A la lumière du jour, ses traits virils paraissaient plus doux, moins arrogants. Sa chemise bleue, largement ouverte sur sa poitrine, laissait apparaître une toison dorée sur sa peau bronzée.

Comment résister à la sensualité qui émanait de lui? Elle ne devait pourtant pas oublier que Paul n'était plus à présent qu'une relation d'affaires. Le bel étranger à qui elle s'était donnée un soir d'ivresse n'existait plus. Il était redevenu l'inaccessible, l'insolent Paul Treneau.

Un jeune serviteur indigène vint servir le café.

– Votre maison est ravissante, monsieur Treneau. Comment avez-vous le courage de la quitter?

Les yeux de Paul contemplaient l'horizon.

– Je repars toujours à regret. Je crois que Dieu a créé ces îles en pensant au paradis, dit-il comme s'il se parlait à lui-même avant d'ajouter, d'une voix impersonnelle : Chacun choisit de s'évader à sa façon. Un solitaire qui se retire à l'écart du monde attire l'attention et la curiosité des autres.

Troublée par l'intensité de son regard, Diana baissa les yeux et but son café.

– Après le petit déjeuner, je vous ferai faire le tour de la propriété. Ces îles ont quelque chose de magique. Lorsqu'on tombe sous le charme, il n'y a pas de remède...

Le serviteur revint leur offrir d'appétissantes coupes en cristal remplies de fraises et de bananes. Diana resta silencieuse jusqu'à son départ.

– Dites-moi, Paul, a-t-on coutume à Kauai d'offrir une garde-robe sur mesure à ses invités, ou l'initiative vient-elle du P.-D.G. des *Cosmétiques Treneau*?

– Notre île est fière de son hospitalité envers les étrangers qui l'honorent de leur présence. Les idées pratiques et le sens de l'efficacité appartiennent à la tradition américaine. Vous serez peut-être étonnée

36

d'apprendre que j'appartiens à ces deux cultures : ma mère était polynésienne...

Il s'interrompit et changea brusquement de sujet.

– J'espère que vous savez monter à cheval. Les chemins de l'île sont impraticables autrement : c'est le seul moyen d'arriver à la lagune.

– Je devrais pouvoir y arriver...

– Parfait! Je vais donner l'ordre de seller les chevaux!

Le petit déjeuner terminé, ils descendirent aux écuries où les attendait le palefrenier. Paul offrit galamment à Diana de l'aider, mais elle refusa, et se hissa toute seule sur sa jument fauve. Une fois installée sur la selle, elle lui adressa un sourire radieux. Paul monta à son tour sur son grand étalon blanc et mit son cheval au trot.

En chemin, Diana ne se lassa pas d'admirer la beauté du paysage vert et luxuriant : le parfum des fleurs sauvages était grisant, le chant des oiseaux mélodieux. Une douce brise soufflait. Sous l'azur du ciel, les couleurs étaient lumineuses, chatoyantes. Oui, Kauai était une île enchantée. Elle dépassait en splendeur tout ce qu'elle avait pu imaginer.

Ils arrivèrent au fond de la vallée. Diana arrêta sa jument près de la cascade, émerveillée par le spectacle de l'eau pure et fraîche rebondissant sur les rochers. Paul descendit lestement de cheval. Cette fois, elle ne refusa pas son aide et se laissa glisser dans ses bras. Comme il la serrait contre lui, le cœur battant, elle se libéra souplement de son emprise et se tourna vers le rivage pour dissimuler son trouble.

– On se croirait au paradis, murmura-t-elle.

Elle sentait Paul tout près d'elle, mais elle n'osait pas le regarder. L'eau calme de la lagune miroitait au soleil. Le paysage tout entier respirait la paix, la sérénité, mais en elle se glissait une émotion contre laquelle elle luttait...

– Je vous ai réservé cette journée de repos pour vous permettre de vous imprégner de la beauté de

Kauai. Elle possède toutes les grâces que vous devrez suggérer, Diana : la douceur, la pureté, l'innocence, mais aussi le mystère et la sensualité.

Il cueillit une orchidée rouge et blanche et la glissa dans les cheveux bruns de Diana. Sur ses lèvres se dessina un sourire énigmatique. Il posa un pied sur un rocher et y appuya son coude d'un air songeur.

— Lorsqu'une femme porte une fleur à droite de son visage, cela signifie que son cœur est libre et qu'elle cherche l'amour.

— Et de l'autre côté? demanda-t-elle en la changeant de place.

— Que son cœur est pris et qu'elle a trouvé l'homme de sa vie! dit-il avec une grimace moqueuse.

Elle fit une moue boudeuse et laissa retomber sa main, puis s'assit sur le rocher avec un petit geste de tête méfiant.

— Quand commençons-nous?

— Demain, répondit-il, les yeux posés sur la fleur. Je vous conseille de profiter de votre journée de liberté. Que diriez-vous de vous baigner avec moi?

Elle leva les yeux. Leurs regards se croisèrent.

— Nous n'avons pas pris nos maillots de bain! protesta-t-elle, n'osant imaginer sa réponse.

— Et alors? La nudité est naturelle sur ces îles, répondit-il platement en commençant à déboutonner sa chemise.

Diana détourna les yeux en rougissant. Le bruit d'un plongeon troubla un instant la sérénité de la lagune...

Au bout de quelques instants, elle scruta l'eau claire et bleutée : rien! Paul n'était pas remonté. Et s'il s'était cogné la tête sur un récif?

Elle abrita ses yeux du soleil. Son cœur se mit à bondir follement. Elle ôta ses sandales et son pantalon, puis se hissa sur un rocher dans l'espoir de le voir apparaître...

Brusquement, deux mains la saisirent par les

jambes : déséquilibrée, elle n'eut que le temps de crier avant de tomber dans le lac. Sous l'eau, elle aperçut furtivement le corps nu de Paul qui s'éloignait vers le centre du lac. Il disparut. A bout de souffle, elle nagea jusqu'à la surface : toujours pas trace de Paul!

Soudain, le même scénario se répéta. Terrorisée, Diana se raccrocha instinctivement à lui et enroula ses jambes autour des siennes. Il la serra impétueusement... elle étouffait! Leurs deux corps enlacés luttèrent, mais ce fut Paul qui eut raison de ses forces; il se redressa et la fit remonter à l'air libre. Lui seul avait pied et il profitait de sa supériorité! Folle de rage, troublée par le contact de sa peau nue, Diana se débattit pour lui échapper.

— Vous êtes complètement fou! Et si je vous faisais pareil, vous seriez content?

Il éclata de rire mais ne relâcha pas son étreinte. Prisonnière de ses bras, elle frissonna. Sous la frêle protection de son corsage trempé, elle sentait la poitrine musclée de Paul. Leurs jambes nues se touchaient...

— Bienvenue à Kauai, Diana.

A peine avait-il murmuré ces mots que, déjà, ses lèvres se posaient sur les siennes. Son baiser ardent eut raison de sa colère. Peu à peu, elle sentit monter par vagues une émotion voluptueuse...

Il délaissa sa bouche pour explorer les replis secrets de sa nuque et de son cou. Ses lèvres s'enhardirent entre ses seins dressés, fermes et ronds, moulés dans son corsage mouillé. Puis, remontant lentement vers sa bouche, Paul quémanda un nouveau baiser, plus tendre, plus persuasif encore... Il la sentit frémir et relâcha un peu son étreinte. Ses mains se posèrent sur la courbe gracieuse de ses épaules, descendirent le long de son dos et glissèrent sur ses hanches, provoquant en elle une langueur délicieuse et excitante...

L'éveil de son désir balaya sa faible résistance : elle s'abandonna dans ses bras avec un petit gémissement, caressa sa nuque et posa sa tête contre son épaule.

– Vous avez d'étranges coutumes à Kauai, Paul, chuchota-t-elle au creux de son oreille.

Il la prit dans ses bras sans effort et la porta jusqu'au rivage. Elle ne pensait plus à rien, n'entendait plus rien, que le battement de son cœur. En cet instant magique, ils étaient seuls au monde...

Paul la laissa glisser à terre et la serra contre son corps musclé. Puis, délicatement, il écarta les mèches brunes qui cachaient son visage. Dans ses yeux noisette pailletés d'or brûlait la flamme de son désir. Avec une lenteur voluptueuse, il défit un à un les boutons de son corsage, qui tomba sans bruit sur l'herbe.

Diana ferma les yeux, toute à l'ivresse des sensations qu'il faisait naître en elle. Les mains de Paul se posèrent sur ses hanches et firent glisser le mince voile de tissu qui les séparait encore. Emportée par le tourbillon de ses émotions, Diana se blottit contre lui. Paul caressa ses cheveux. Ses pouces se posèrent sur ses tempes palpitantes, ses lèvres effleurèrent ses paupières fermées et ses joues roses...

Il prolongeait le prélude amoureux avec une langueur presque insoutenable. Conquise, Diana ne pouvait plus nier le désir qui s'était emparé d'elle. L'appel pressant de sa chair la fit frissonner.

Ils se laissèrent tomber sur le tapis d'herbe drue et douce comme du velours. Paul, la tête posée sur une main, contempla son corps en caressant ses seins offerts. Son regard intense fit chavirer son cœur...

– Cette coutume est universelle, Diana...

Leurs lèvres s'unirent en un baiser passionné. Ils laissèrent leurs corps faire l'aveu de leur désir...

Dans cette nature sauvage, sous les palmiers agités par les alizés, le temps s'était arrêté. Leurs regards ne pouvaient se détacher l'un de l'autre, leurs lèvres s'ouvraient pour chuchoter de tendres paroles. Peu à peu, Diana sentit monter en elle l'extase qu'elle avait désirée... Comblée, elle gémit doucement. Dans un même élan, leurs corps ne firent plus qu'un, puis ils se séparèrent pantelants, submergés par la vague d'un même plaisir... Paul roula à côté d'elle. Immobile, Diana sortit du rêve. Ils ne se parlaient pas, mais elle sentait son regard posé sur elle.

Brusquement, elle voulut se dérober à ses yeux. Elle lui jeta un coup d'œil embarrassé et commença à se rhabiller, mais Paul la retint.

— Diana... murmura-t-il en l'obligeant à relever la tête. Si vous saviez comme vous êtes désirable quand vous vous donnez avec autant de passion... Pourquoi voulez-vous fuir une fois de plus?

Il caressa son visage d'un air pensif, interrogateur : il ne la laisserait pas partir tant qu'elle n'aurait pas répondu, et elle le savait!

— Je n'y peux rien, Paul... C'est malgré moi... Je ne veux pas risquer de m'attacher...

Elle baissa ses yeux brillants de larmes. Comment lui avouer le traumatisme qu'elle avait vécu autrefois, à cause d'un autre?

— Vous ne me croirez peut-être pas, Paul, mais je ne me suis donnée qu'à un seul homme avant vous... bredouilla-t-elle avant de fondre en larmes.

Paul la prit dans ses bras pour la consoler. Le contact de son étreinte virile l'apaisa. Il essuya ses larmes et attendit que les battements de son cœur se calment un peu.

— Et c'est à cause de cet homme que vous avez peur maintenant, n'est-ce pas? demanda-t-il avec douceur. Vous l'aimiez?

Elle hocha la tête.

— Et lui?

A ces mots, elle s'écarta, s'assit et remonta ses genoux sous son menton.

— Je ne sais pas et ça n'a pas d'importance. Je vous en prie, Paul, n'insistez pas. Je ne veux pas revenir sur le passé. Prenez ce que je vous donne, mais souvenez-vous que je n'offre rien à la légère. Est-ce trop vous demander?

– Tout dépend de ce que nous attendons de nos relations, Diana. Un jour ou l'autre, il faudra bien en parler, mais je crois que nous ne sommes pas encore prêts.

Pourquoi Paul l'interrogeait-il? C'était incompréhensible. Déconcertée, lui proposa de repartir à la découverte de l'île.

Paul la regarda s'habiller d'un air songeur et perplexe. Pourquoi n'insistait-il pas pour lui faire avouer les raisons de sa fuite? Après tout, il n'avait accordé à Diana cette journée de liberté que dans l'espoir d'éclaircir le mystère de sa vie! Il s'était personnellement déplacé à Kauai dans ce but, et voilà qu'il venait de laisser passer une chance peut-être unique!

Diana lui était devenue aussi indispensable que l'air qu'il respirait. Aussi longtemps que planerait entre eux ce fantôme du passé, il ne pourrait avoir aucune certitude sur la sincérité de ses sentiments envers lui: égoïstement, c'était cette certitude qu'il était venu chercher ici. Il était bien décidé à obtenir des aveux, coûte que coûte. Rien n'avait jamais résisté à Paul Treneau. Diana n'échapperait pas à la règle: il découvrirait son secret par n'importe quel moyen!

4

Le crépuscule tombait sur Kauai...

Paul descendit lestement de cheval sous l'œil admiratif du jeune palefrenier qui attendait le retour des deux cavaliers. Il ébouriffa amicalement les cheveux noirs du serviteur avec un petit sourire amusé.

– Fais-les dîner, fiston, et rentre vite chez toi! dit-il en lui tendant les brides de son étalon, puis en se tournant vers Diana.

– Cette promenade ne vous a pas donné faim?

Elle prit appui sur ses épaules pour se laisser glisser de sa jument et croisa son regard intense.

– Je ne sais pas... A vrai dire, j'hésite entre un bain chaud et un bon repas.

– Mes appétits à moi sont d'une autre nature! dit-il en caressant ses hanches d'une manière suggestive, un sourire narquois aux lèvres.

Un brusque éclat de rire, féminin et mélodieux, les immobilisa. Ils levèrent ensemble les yeux vers la terrasse. Une superbe femme blonde les observait, moqueuse. Soudain tendu et nerveux, Paul s'écarta aussitôt de Diana.

– Eh bien, Paul! Tes distractions n'ont pas beaucoup changé, à ce que je vois! Tu aimes toujours autant le martini? demanda l'inconnue d'un air perfide en levant son verre, avant de disparaître hors de leur vue.

Abasourdie, Diana tourna les yeux vers Paul et remarqua la crispation machinale des muscles de son visage.

– Une amie?

La question lui avait échappé, malgré elle.

– Non, ma belle-mère, répondit-il, impassible, après un moment de silence embarrassé.

Il jeta un coup d'œil vers la terrasse maintenant déserte, enlaça Diana par la taille et l'entraîna dans l'escalier. Sans savoir pourquoi, elle se sentit saisie d'une brusque appréhension en entrant dans le salon où les attendait Nicole Treneau.

– Je savais que tu ne résisterais pas à la tentation, Paul!

Elle fit tinter les glaçons dans son verre, puis toisa Diana des pieds à la tête, un sourire figé sur ses lèvres, comme on juge une rivale.

– Vous aimez aussi le martini, mademoiselle... euh...

– A l'occasion. Mon nom est Diana.

Elle soutint le regard d'un bleu dur et métallique sans sourciller.

– Les visites de Paul à Kauai sont un événement qui se fête! s'exclama-t-elle avec un large sourire, visiblement ravie de jouer les maîtresses de maison.

Elle s'assit sur un haut tabouret de bar en faisant virevolter sa robe vaporeuse, couleur lavande, autour de ses jolies jambes. La couleur flattait sa carnation délicate de blonde, rehaussée par un maquillage en harmonie. Elle servit Diana, puis lui tourna le dos avec désinvolture pour s'approcher de Paul d'une démarche langoureuse.

– Tiens, mon chéri. Très sec, comme tu l'aimes.

Elle lui tendit le verre et caressa au passage le dos de sa main, du bout de ses doigts laqués.

Mal à l'aise, Diana baissa les yeux et s'assit sur le canapé. Pour se donner une contenance, elle se mit à jouer machinalement avec les franges d'un coussin. Paul, lui, était resté impassible. Sa belle-mère reprit sa place au bar et daigna s'intéresser à Diana.

– Paul a oublié de faire les présentations. Je suis Nicole Treneau, sa belle-mère, déclara-t-elle d'un air hautain, comme pour chercher à l'épater.

– Je sais, se contenta-t-elle de répondre en évitant son regard froid.

– Peut-on savoir ce que vous êtes venue faire à Kauai, Diana?

– Poser pour la nouvelle campagne publicitaire des *Cosmétiques Treneau*.

Paul regarda sa belle-mère se resservir un verre. Diana remarqua qu'il avait l'air mécontent et agacé.

– Encore une toquade de notre cher Paul! s'exclama-t-elle, sarcastique, avant d'éclater d'un petit rire forcé.

Elle se contempla dans le miroir placé derrière le bar et passa une main dans ses cheveux platine savamment coiffés.

– Voyez-vous, Diana, moi aussi j'ai été l'étoile, la reine de son empire!

Mais déjà, son verre était vide. Elle s'apprêtait à le remplir pour la troisième fois, lorsque Paul sortit soudain de son mutisme presque hostile.

– Nicole! Tu pourrais te modérer un peu!

– J'ai l'habitude de n'en faire qu'à ma tête, tu le sais bien! Je ne vois pas pourquoi je changerais! répliqua-t-elle avec un haussement d'épaules désarmant.

– Ça, j'ai cru le remarquer! D'après ce que j'ai vu des comptes de *Haven's Point*, tu ne te refuses rien. Toutes les folies sont bonnes pour toi!

De plus en plus gênée, Diana s'agita nerveusement sur le canapé : la tension qu'elle sentait entre eux lui était insupportable. Nicole se tourna vers elle.

– *Haven's Point* est la maison natale de Paul. Le modeste bugdet de ses années d'enfance ne suffit plus à l'entretenir, mais Paul est incapable de s'en rendre compte. Il est vrai qu'il a si peu de besoins... Vous devez en avoir assez de cette discussion, n'est-ce pas Diana? conclut-elle pour couper court à ce sujet délicat. D'ailleurs, je n'étais venue ici que pour inviter Paul à dîner ce soir – ainsi que ses hôtes, bien entendu! ajouta-t-elle en tournant vers lui ses yeux voilés par l'alcool.

– Nous avions l'intention de souper assez tard pour avoir le temps de prendre une douche. Mange avec nous si tu veux...

Nicole eut un petit sourire de triomphe.

– Quelle bonne idée! Mais je ne voudrais pas m'imposer... dit-elle en jetant un coup d'œil révélateur en direction de Diana.

– Pas du tout, s'empressa-t-elle de répondre.

– Je vous laisse prendre votre bain. Paul est toujours de mauvaise humeur quand il a trop chaud. A tout à l'heure!

Elle sortit du salon en laissant dans son sillage les effluves capiteux de son parfum aux senteurs de gardénia.

– Pour une fois, elle a raison : j'ai bien besoin d'une douche glacée! fulmina-t-il avant de planter là Diana.

Elle était déconcertée et furieuse : il ne lui restait plus qu'à se réfugier à son tour dans l'intimité de sa chambre...

Une fois dans l'eau chaude et relaxante de son bain, Diana passa en revue les événements de la journée et dut admettre qu'elle n'était guère plus avancée : Paul restait pour elle une énigme, car s'il l'avait questionnée sur les raisons de sa fuite, il avait pris soin de ne rien révéler des sentiments qu'il pouvait avoir envers elle.

Eprouvait-il autre chose qu'un désir purement physique? Oh! bien sûr! Il s'était montré tendre et attentionné quand elle s'était donnée à lui dans la lagune, mais cela ne prouvait pas qu'elle pouvait lui faire confiance! Tous les hommes ne sont-ils pas ainsi une fois qu'ils ont obtenu ce qu'ils désiraient?

Mais, pour elle, il en avait été tout autrement : comme toutes les femmes, elle s'était sentie fragile, vulnérable. La tentation avait été grande de se confier à lui, mais elle avait reculé au dernier moment. Elle avait eu peur qu'il ne profite de sa faiblesse, de son besoin éperdu de tendresse, peur, aussi, en lui ouvrant son cœur, de s'exposer à de nouvelles souffrances...

Elle s'enveloppa dans son drap de bain, entra dans sa chambre et s'assit à sa coiffeuse pour brosser sa chevelure humide et parfumée. Elle se surprit à évoquer le souvenir de l'apparition de Nicole... et de la réaction immédiate de Paul. La tension qui régnait entre eux était évidente, mais son intuition féminine ne la trompait jamais : il y avait autre chose...

Les regards langoureux et les gestes équivoques de Nicole en disaient long sur leurs relations – faites d'amour et de haine. Comme toujours, Paul était resté impassible. Pourtant, Diana avait deviné que, derrière ce masque, il y avait plus qu'un simple agacement : une émotion profonde, qu'il cachait soigneusement!

Et ce n'était pas de l'imagination : trop d'indices confirmaient cette impression!

Diana posa pensivement sa brosse et se retourna. Elle n'avait qu'une envie : se reposer un moment avant de dîner... et reprendre des forces pour ce qui promettait d'être une véritable épreuve!

Lorsqu'elle rouvrit les yeux, elle vit qu'il était presque huit heures. Après une brève inspection dans le miroir, Diana descendit l'escalier, mais des voix qui s'élevaient du salon l'arrêtèrent. Indécise, elle remit machinalement en place les plis de sa robe. Que faire? En reconnaissant la voix de Nicole, elle préféra retarder son entrée. Ce qu'elle entendit ne lui fit pas regretter sa décision!

– Oui, je suis dominatrice et sans cœur... comme

je l'ai toujours été... à une exception près... une exception qui a fait de moi la veuve richissime et malheureuse d'André Treneau. Et toi, mon chéri...

Elle se tut. Diana eut peur qu'on ne la découvre en train d'écouter aux portes, mais la voix s'éleva de nouveau.

– Et toi... qu'as-tu fait de ta vie? Qu'es-tu devenu? Un homme amer, aigri. Oh! Paul! Pourquoi as-tu reculé devant tes responsabilités? Notre faute est inexcusable, irréparable!

Diana sentit ses jambes se dérober sous elle. Elle s'appuya contre la lampe, incapable de faire un pas. La voix grave de Paul lui parvint brusquement assourdie: quelqu'un venait de refermer la porte du salon!

Encore sous le choc de sa découverte, elle s'assit sur une marche. Sans se rendre compte de ce que sa situation pouvait avoir d'étrange si on la découvrait là, elle se mit à réfléchir: la conversation qu'elle venait de surprendre lui avait fourni la pièce manquante du puzzle. Alors pourquoi s'étonner de ce qui ne faisait que confirmer ses soupçons?

Le souvenir de leur étreinte, cet après-midi, dans la lagune était encore si vivant dans son esprit qu'elle était bouleversée d'entendre Paul se quereller aussi amèrement avec sa belle-mère – qui était aussi son ancienne maîtresse!

Mais de quel droit le condamnait-elle? Pourquoi se sentait-elle trahie? Le plaisir qu'elle avait ressenti au creux de ses bras lui parut soudain irréel, trompeur... Jalousie? Dépit? Non... mais elle avait le sentiment que Paul avait triché, qu'il s'était moqué d'elle...

Ce n'était pas une raison pour se laisser aller! Le cœur lourd, elle se leva et se prépara à jouer la comédie devant eux. Pourtant, elle connaissait maintenant leur secret!

Elle frappa à la porte du salon. Paul vint lui ouvrir. Elle rassembla tout son courage pour le regarder aussi naturellement que possible.

– Je suis un peu en retard. Excusez-moi.

Nicole se retourna, un sourire figé sur son visage crispé.

– A Kauai, le temps n'a pas d'importance. On n'est jamais en retard.

Paul prit Diana par le bras d'un air autoritaire.

– Retard ou pas, je passerais bien tout de suite à table si vous n'y voyez pas d'inconvénient, mesdames!

Il la fit entrer dans la vaste salle à manger. Un lustre de cristal éclairait une grande table en noyer, sobre mais élégante. Paul invita d'office Diana à sa droite, au mépris du regard outragé de Nicole, puis il s'installa à la place du maître de maison, en bout de table. L'entrée étant servie, ils se mirent à manger en silence et ce fut Nicole qui, la première, essaya de lancer la conversation.

– Vous devriez profiter de votre séjour pour visiter l'île, Diana.

– D'après ce que Paul m'en a montré cet après-midi, Kauai est un véritable paradis...

– Il faut dire que Paul est un excellent guide. Il adore les endroits peu fréquentés, *très* retirés... en pleine nature sauvage...

Sa remarque était moins innocente qu'elle n'y paraissait. Diana vit la mâchoire de Paul se contracter.

– Comme la lagune, ajouta-t-elle en toute innocence.

– Oh! Je vois que vous êtes *vraiment* sortis des sentiers battus!

Elle jeta un coup d'œil vers Paul. Le regard qu'il lui retournait était clair : « Tais-toi! » Elle l'ignora ostensiblement.

– La lagune est le refuge de Paul... son jardin secret. Il vous a fait un très grand honneur. A ma connaissance, vous êtes la deuxième à qui il ait accordé ce privilège...

Diana comprit l'allusion. Son cœur se mit à battre violemment, mais elle cacha sa peine. Paul reposa sèchement son verre sur la table. L'arrivée du serviteur l'empêcha de laisser exploser sa colère. Diana en profita pour changer de sujet.

— D'après ce que j'ai compris, vous avez été mannequin vedette des *Cosmétiques Treneau*... J'imagine que c'est ainsi que vous avez connu M. Treneau : on dirait un conte de fées. C'est tellement romantique!

Nicole lui répondit d'un petit rire cristallin.

— Pas autant que vous le croyez! En réalité, c'est Paul qui m'a découverte. Il m'a présentée à son père. Oh! bien sûr! J'ai connu la gloire et le succès, mais je suis arrivée grâce à mon ambition et à mon travail! André était beaucoup plus âgé que moi. Je ne me faisais aucune illusion en l'épousant. Il n'y avait rien de romantique là-dedans. J'ai joint l'utile à l'agréable, c'est tout.

Diana ne put dissimuler sa stupéfaction.

— Ma franchise vous choque, n'est-ce pas? Pourtant, André et moi, nous avons vécu heureux – du moins au début. Nous étions très jaloux de notre indépendance...

Paul contenait mal sa rage et son dégoût. Ses poings posés sur la table se serraient nerveusement. Nicole n'en poursuivit pas moins sa confession...

— Et Dieu sait qu'André a été tolérant! Il m'a tout pardonné : mon égoïsme, mon ambition, mon insolence...

Diana dut se retenir de ne pas lui dire ce qu'elle pensait d'elle. Elle affichait un intérêt poli, mais réservé, pour ce portrait sans pitié que Nicole dressait d'elle-même.

— Ton insolence frise parfois la grossièreté! Diana en a assez entendu pour ce soir, trancha Paul en faisant signe au serviteur d'apporter le dessert.

— J'ai au moins la franchise de reconnaître mes défauts, moi! répliqua-t-elle en refusant l'éclair au chocolat qu'on lui proposait.

Elle consulta sa montre sertie de diamants.

— Déjà! Je vais vous demander de m'excuser : je ne prendrai pas le café avec vous. Lawrence Sinclair m'a invitée à boire un verre ce soir. Tu sais,

Paul... le propriétaire du ranch australien... Tu te souviens de lui?

Cette fois, elle essayait pitoyablement de le rendre jaloux. Quel ridicule!

– Oui... le beau pâtre! Fais-lui mes amitiés et dépêche-toi d'aller le rejoindre, lui lança Paul avec une pointe de cynisme, sortant de sa réserve pour la première fois de la soirée.

Sa repartie piqua Nicole au vif et lui cloua le bec. Elle lui jeta un regard étincelant de colère avant de se lever d'un air offensé. Pourtant, elle s'arrêta devant Diana pour la regarder droit dans les yeux. Cela n'en finirait donc jamais?

– Voulez-vous que je vous donne un conseil?

Elle prit le silence gêné de Diana pour une approbation tacite et poursuivit :

– Vous êtes jolie. C'est votre principal atout. Servez-vous de vos charmes comme d'une arme pour défendre vos intérêts, comme je l'ai fait moi-même. Si vous êtes aussi maligne que je le pense, vous comprendrez très vite que c'est le seul moyen de s'en sortir!

Sur ces mots, elle sortit du salon. Fou de rage, Paul bondit, jeta sa serviette sur la table et ordonna au domestique de servir le café viennois sur la terrasse. Diana n'avait qu'une envie : se réfugier dans sa chambre, mais ce n'était pas le moment d'essayer de se dérober. Paul serait capable de retourner sa colère contre elle!

Elle le suivit sur la terrasse. La soirée était douce et l'air parfumé. Le clair de lune apportait au paysage une tranquillité qui les gagna peu à peu, effaçant la tension du dîner. Accoudé à la balustrade, Paul contemplait la lune irisée luisant sur le ciel noir comme du velours. Diana s'assit sans mot dire, de peur de troubler ce moment de sérénité...

Le serviteur apporta le café.

– Ce sera tout pour ce soir, Laiko, lui dit Paul.

Il tendit un mazagran à Diana et effleura fugitivement sa main. Leur nervosité disparut alors comme par enchantement. Ils ouvrirent la bouche au même instant... puis sourirent, un peu gênés.

– Je voudrais vous demander de m'excuser pour le dîner de ce soir, Diana. Nicole a tendance à pousser l'impertinence un peu loin à mon goût. Elle ne s'est jamais remise d'avoir été une star. C'est une femme autoritaire, gâtée... et extrêmement susceptible dès qu'elle croit son tèrritoire menacé...

– La lagune fait-elle partie de ce... territoire?

Paul la regarda droit dans les yeux. Après un moment de silence, il décida de répondre avec franchise.

– Autrefois, oui. Comment l'avez-vous deviné?

– Par intuition. Certains signes ne trompent pas. Il suffit parfois d'un geste, d'un regard, pour trahir d'anciens amants.

Elle hésita un instant avant de poursuivre :

– J'avoue que j'ai surpris votre conversation avant le repas, sans le vouloir. Elle n'a fait que confirmer mes soupçons.

Elle tourna son regard vers la lune, à moitié cachée derrière des nuages.

– Vous... vous tenez encore à elle, n'est-ce pas?

– Le passé est le passé, Diana. Comme vous, je refuse d'en discuter.

Il l'invita à se lever et la prit dans ses bras.

– Je préférerais parler du présent... ou mieux, ne pas parler du tout.

Ses lèvres sensuelles descendirent lentement vers les siennes, mais elle détourna la tête.

– Non, Paul. Pas ce soir... Tout est si compliqué... Notre passé, vous... moi... J'ai besoin de réfléchir.

Il la relâcha, mais serra cruellement ses mains sur ses épaules.

– Combien de temps faudra-t-il attendre? Un jour? Un mois? Toujours?

Diana ouvrit la bouche pour protester, mais il l'en empêcha.

– Vous ne voulez rien dire, rien promettre! Moì, je refuse de traîner les erreurs du passé comme un boulet – les miennes comme les vôtres!

Abasourdie par tant de cruauté, Diana se débattit pour échapper à son emprise impitoyable et recula avant de lui lancer sur le même ton :

— Taisez-vous! Vous n'êtes même pas capable de savoir ce que vous voulez. La délicatesse n'est pas votre fort, monsieur Treneau! Vous m'avouez que votre belle-mère est votre maîtresse et vous voudriez que je tombe dans vos bras comme si de rien n'était?

Le regard étincelant de Paul la réduisit au silence. Le souvenir de leur après-midi dans la lagune hantait leur mémoire. Elle chercha au fond de ses yeux l'image de leur bonheur perdu. Prise de panique, elle traversa en courant la terrasse et pénétra dans la maison.

— Diana!

Elle fit semblant de ne pas l'entendre et s'enferma à clé dans sa chambre...

5

– Mademoiselle Nolan? appelait doucement une voix, accompagnée de coups discrets à la porte.

Brusquement tirée de son sommeil, Diana souleva la tête. L'aube filtrait à peine à travers les rideaux de sa chambre.

– Oui... Qu'est-ce que c'est?

– M. Steins vous donne rendez-vous à la bibliothèque dans une demi-heure. Je me suis permis de vous monter un peu de café...

Avec un soupir résigné, Diana repoussa les couvertures. Encore à moitié endormie, elle se prit le pied dans le dessus-de-lit et faillit tomber en allant ouvrir la porte, qu'elle se contenta d'entrebâiller.

– Quelle heure est-il?

– Six heures moins le quart, mademoiselle, répondit timidement le domestique.

Elle s'effaça pour le laisser entrer.

– Avez-vous besoin d'autre chose? demanda-t-il en détournant les yeux.

– Oui : le chemin de la bibliothèque.

– Prenez le couloir en bas de l'escalier. C'est la dernière porte à droite. M. Jerrard sera là aussi.

Il sortit sans la regarder et referma doucement la porte derrière lui.

– Six heures moins le quart! murmura-t-elle. Moi qui suis incapable de faire quoi que ce soit avant sept heures!

Découragée à l'avance, elle se laissa tomber dans un fauteuil et se versa un peu de café. Au bout de quelques gorgées, elle commença enfin à émerger lentement...

Et qui était responsable de ses insomnies? Paul Treneau – celui qui l'avait amenée ici, à Kauai!

Paul aux deux visages – tour à tour amant sensuel et tendre, comme la veille, dans la lagune, et homme mystérieux, secret, impassible en face de sa belle-mère...

Mais, jour et nuit, Diana ne pensait qu'à lui!

Après une deuxième tasse de café, elle s'assit à sa coiffeuse pour se préparer au rendez-vous. Le spectacle la réveilla tout à fait!

Elle avait une mine épouvantable! Si Steins la voyait dans cet état, il en ferait une attaque! Leur chère Bien-Aimée avait les traits tirés, les yeux cernés et le teint fatigué... A moins d'un miracle, elle pourrait peut-être se vanter d'avoir réussi à provoquer une manifestation de ses sentiments, exceptionnelle chez lui!

– Non, même pas! s'exclama-t-elle tout haut. Cet homme est incapable de la moindre émotion!

Sous la douche, Diana reprit ses esprits. Elle n'était pas encore au mieux de sa beauté et de sa forme, mais sa métamorphose était étonnante. Après un dernier coup d'œil dans le miroir, elle descendit l'escalier et s'engagea dans le couloir. Devant la porte, elle passa une main dans ses cheveux et rajusta sa robe de soie sur sa taille. Puis elle prit une profonde inspiration et entra dans la bibliothèque.

David Steins arpentait la pièce de long en large. Son activité l'absorbait tellement qu'il ne remarqua même pas son arrivée. Derrick Jerrard en revanche l'accueillit avec une joie évidente.

– Bonjour, Diana!

– Bonjour, monsieur Steins... ajouta-t-elle en se tournant vers lui.

Il consulta sa montre.

– Vous avez trois minutes de retard, mademoiselle Nolan. Asseyez-vous, servez-vous du café si vous le voulez, mais ne perdons pas de temps.

Derrick lui adressa un clin d'œil complice, lui tendit une tasse fumante et s'assit près d'elle sur le canapé.

– J'ai déjà indiqué à M. Jerrard à quel endroit se déroulera la séance de ce matin, ainsi que les éléments essentiels que nous tenons à voir figurer sur les photos. L'habilleuse et la maquilleuse sont sur place. Le chauffeur vous y conduira dès la fin de cet entretien. M. Jerrard commencera son travail à huit heures précises. Des questions? demanda-t-il en les regardant.

Derrick haussa les épaules. Eberluée, Diana ne sut que répondre.

– Parfait! Je ne vous répéterai pas ce que nous attendons de vous. M. Treneau et moi n'avons pas l'intention de vous dicter quoi que ce soit sur le plan artistique. Par contre, nous attendons de vous une coopération et un dévouement entiers – vos salaires sont d'ailleurs à la hauteur. En dehors des séances de pose, vous serez libres de faire ce que bon vous semble, mais notre calendrier de travail devra être scrupuleusement respecté. Est-ce clair?

Derrick hocha la tête. Steins fixa les yeux sur Diana dans l'attente d'une approbation.

– Tout à fait, monsieur Steins.

– A propos, Jerrard! Un calendrier précis des horaires et des décors sélectionnés vous sera remis. Si vous aviez le moindre problème, avertissez-moi immédiatement. L'aspect créatif est laissé à votre appréciation... A condition que le résultat nous plaise, bien sûr!

Il s'apprêta à partir, mais Derrick le retint.

– Excusez-moi, monsieur Steins : est-il prévu que

je rencontre M. Treneau à un moment ou à un autre?

– M. Treneau est reparti pour le continent. S'il revient, il décidera lui-même de l'opportunité de vous rencontrer. Quoi qu'il en soit, vous êtes ses invités. Je suis chargé de résoudre les problèmes, s'il y en a.

Il ouvrit la porte et disparut avant que Diana et Derrick aient eu le temps de dire ouf!

– Toujours aussi chaleureux, hein? dit Derrick en souriant. Il paraît que son père était un robot et sa mère une vipère. Le fils ne dépare pas, en tout cas!

Comme elle ne réagissait pas, il scruta son visage figé.

– Diana! Tu ne vas pas te laisser impressionner! On ne se fera pas fusiller si le calendrier n'est pas respecté!

Mais Diana ne l'entendait pas. Les paroles de Steins revenaient sans cesse à sa mémoire.

M. Treneau est reparti pour le continent. S'il revient...

Inquiet, Derrick scruta son regard absent et posa une main sur la sienne.

– Diana... Tu m'en veux de t'avoir embarquée dans cette aventure?

Elle revint brusquement à la réalité. Derrick était comme un enfant : tout fou, mais pas méchant. Il n'avait pas voulu lui faire de mal consciemment; après tout, comment aurait-il pu deviner dans quelle situation il l'avait mise? Il ignorait tout de ses relations avec Paul!

Elle posa un doigt sur sa joue et lui sourit tristement.

– Je te le pardonnerai si tu m'aides à m'en sortir, Derrick. Je ne suis pas la déesse qu'ils veulent faire de moi. J'ai toujours détesté ce côté superficiel et clinquant de notre métier. J'ai l'impression d'être un monstre qu'on promène dans les foires pour le jeter en pâture à la curiosité malsaine des gens!

— Ne crains rien, ma belle! Grâce à mon génie de photographe, je te délivrerai des griffes du dragon Steins! Je te le promets! Allez, viens. Plus tôt nous commencerons, plus vite ce sera terminé. Ensuite, nous irons nous promener sur la plage.

Son enthousiasme lui redonna un peu d'espoir et d'énergie. Après cette parenthèse dans sa vie, elle reprendrait son travail normalement.

Comme les alizés capricieux qui caressent et désertent les îles, Paul Treneau était entré dans sa vie pour en ressortir brutalement... Pourtant, elle n'avait rien demandé : ni le titre de déesse ni l'intérêt égoïste que lui témoignait celui qui le lui avait attribué : Paul Treneau!

Les jours suivants s'écoulèrent au rythme démentiel imposé par le calendrier de Steins. Derrick était devenu le centre de la vie de Diana : il la protégeait, la consolait, l'amusait... et réussissait à faire surgir les émotions qu'il devinait à fleur de peau. Le charme exotique de Kauai mettait en valeur la beauté naturelle de Diana : il composait des tableaux où l'une et l'autre rivalisaient de séduction et de sensualité.

Derrick possédait le sens de la mise en scène : le cadre de l'île lui permettait d'infinies variations de lumière, de couleur et de suggestion. Depuis les gros plans jusqu'aux panoramiques, il mettait tout son art et son professionnalisme au service de la beauté de Bien-Aimée... Les décors, tour à tour intimes ou grandioses, se prêtaient à l'étendue de son talent : criques naturelles où les embruns irisaient la peau dorée de Diana de gouttelettes scintillantes; canyons sauvages où le vent soulevait ses cheveux bruns; forêts verdoyantes couronnées de brumes lointaines dont le feuillage rehaussait ses beaux yeux de jade; jardins exotiques aux fleurs multicolores, au milieu desquels le visage de Diana paraissait plus énigmatique encore...

Partout, la magie était là. Derrick parvenait à un

subtil équilibre entre son tempérament d'artiste et les exigences commerciales de la campagne. Par leur qualité, ses photographies assuraient à son modèle un succès retentissant. Il venait de créer sans le savoir un style inimitable qui était la griffe d'un véritable don.

Ce fut sur la côte Na Pali, au coucher du soleil, que Derrick découvrit le sourire qui allait devenir le symbole de Bien-Aimée. Il avait placé Diana dans une pose provocante, au bord d'une falaise qui surplombait l'océan, avec, en toile de fond, le ciel embrasé du crépuscule – symphonie lumineuse de roses et de mauves. Il se mit à parler de sa voix suggestive pour éveiller en elle toute la sensualité qu'il désirait évoquer.

– As-tu jamais vu quelque chose d'aussi beau, Diana? Sais-tu ce que ça m'évoque?

Il approcha lentement et fit la mise au point sur son visage.

– La plénitude que l'on ressent après l'amour... ce sentiment de sérénité, de bonheur, d'émerveillement. On sait que le soleil se couchera encore à l'horizon, mais que plus rien ne sera jamais pareil, exactement comme l'extase fugitive mais indicible que l'on éprouve au creux des bras de son amant...

Diana contemplait la ligne d'horizon où mer et ciel ne faisaient plus qu'un. Quelque part, de l'autre côté de l'océan, se trouvait celui qui, comme le coucher de soleil, reviendrait rendre à sa vie ses plus belles couleurs...

Clic! Derrick prit aussitôt le sourire mystérieux et sensuel qui se dessinait sur les lèvres de Diana. Une seconde plus tard, une lueur de tristesse passa dans son regard : ce n'était qu'un rêve... un rêve impossible. Paul reviendrait sans doute, mais elle ne trouverait pas la paix qu'elle désirait tant. Depuis qu'il était entré dans sa vie, tout n'était que désordre et confusion.

– Repose-toi une minute pendant que je recharge

mon appareil. Va te promener sur la plage si tu veux.

Elle longea le rivage à pas lents. Physiquement et mentalement, elle se sentait épuisée. Derrick vint la rejoindre : il remonta son pantalon pour marcher pieds nus dans l'eau en riant comme un enfant. Il était tellement spontané qu'elle ne put s'empêcher de sourire.

— Tu vas voir, Diana! Le dragon va être sidéré par nos dernières séances! Avec un peu de chance, on arrivera peut-être à lui soutirer un vrai sourire!

— A ton avis, on pourra repartir bientôt si le résultat lui plaît?

— Oui. Sûrement d'ici la fin de la semaine. Je sais qu'il nous reste encore une séance. C'est Treneau qui a choisi l'emplacement. J'ai fait les repérages hier. L'endroit est pittoresque, mais je ne vois pas ce qu'il lui trouve de mieux qu'aux autres. Bah... c'est sans doute pour son album personnel!

Le visage dans l'ombre, Diana marchait à côté de lui. Elle l'écoutait à peine.

— Il est bizarre, ce Treneau. J'aimerais bien le voir, ne serait-ce qu'une fois. Et toi, Diana, il ne t'intrigue pas?

Si seulement tu savais! pensa-t-elle.

— Oh! Toi, tu as de la curiosité pour deux...

— Et de l'imagination! Je le vois petit, un peu bouffi...

Diana éclata de rire. Derrick s'arrêta net et prit une pose hautaine de dignité offensée. Il glissa une main sous sa chemise à la manière de Napoléon.

— Madame! Comment osez-vous rire en présence du dictateur français – le grand Paul Treneau!

— Pardonnez-moi, Votre Excellence! Vous êtes si grand par la puissance, mais si petit par la taille! répondit-elle avec une révérence moqueuse.

— L'empereur du monde vous pardonne, pauvre créature! dit Derrick en se pavanant fièrement.

Ils ne virent pas la vague déferler sur le rivage... Une seconde plus tard, ils étaient trempés!

Derrick s'ébroua comme un chiot. Prise de fou rire, Diana ne pouvait plus s'arrêter.

– Aucun respect! Elle n'a aucun respect pour ma grandeur! marmonna-t-il en se laissant tomber à côté d'elle sur le sable.

– Tu es fou, Derrick! dit-elle avec un sourire affectueux.

– Fou à lier! Tellement fou que j'ai deviné le secret qui te rend si belle sur ces photos...

Il plongea ses yeux bleus dans les siens.

– Ah oui?

– Jamais tu ne réagirais comme ça si tu ne cachais pas quelque chose au fond de ton cœur. Ton secret, c'est que tu es amoureuse, follement amoureuse. Ce que je n'ai pas encore découvert, c'est de qui... Tu peux bien me le dire, à moi...

Abasourdie par son intuition, elle contempla un moment les dernières lueurs du jour à l'horizon, puis bondit brusquement sur ses pieds et courut vers les sacoches de Derrick.

– Puisque tu devines si bien les secrets, tu peux peut-être en garder un pour toi? lui lança-t-elle, espiègle.

Il hocha vigoureusement la tête, les yeux brillants de joie.

– Oui, je suis amoureuse... amoureuse de notre bienfaiteur, le dictateur Treneau en personne!

Derrick fit une moue boudeuse, mais ses yeux pétillaient d'humour complice : Diana s'était joyeusement moquée de lui!

– Bien joué! Très bien joué! Je vois que tu as compris comment t'en sortir!

Sur ces mots, il bondit à son tour et se mit à courir en riant.

Ce soir-là, dans l'intimité de sa chambre, Diana songea à ses aveux... Elle avait prononcé ces mots sans réfléchir, comme une boutade... Mais au fond, n'avait-elle pas dit la vérité?

Je suis amoureuse du grand dictateur Treneau!

La phrase l'obsédait comme un refrain, l'empêchant de dormir. C'était ridicule! Des mots... rien que des mots lancés pour rire, spontanément... mais qui tournaient dans sa tête comme une comptine d'enfant.

6

Pour la dernière séance de pose, Diana était vêtue d'une longue tunique grecque, voile diaphane et fluide qui épousait les formes harmonieuses de son corps doré. D'une main tremblante, elle la froissait machinalement entre ses doigts en contemplant l'agitation qui régnait autour d'elle d'un air absent : Derrick, son complice et son ami, dépensait toute son énergie à installer ses appareils; l'habilleuse tournait sans cesse pour remettre en place les plis de sa robe avec un soin perfectionniste; la coiffeuse brossait une dernière fois ses cheveux avant d'y glisser une fleur de gardénia, au-dessus de son oreille.

Tout ce remue-ménage la laissait indifférente. Lorsqu'on lui avait appris où devait se dérouler la séance, elle avait accueilli la nouvelle avec résignation. Elle contemplait maintenant la lagune d'un air incrédule. Une tristesse insurmontable s'empara d'elle.

Quelle ironie! Le refuge exotique qui avait donné naissance à son rêve d'amour impossible était devenu le tombeau de ses illusions perdues.

Comme l'avait dit Derrick, les photos iraient enrichir le tableau de chasse de Paul Treneau!

– Réveille-toi un peu, Diana, et écoute-moi bien : c'est la dernière, tu entends? Après ça, on remballe et on ramène notre Bien-Aimée chez elle! Ils vont en avoir pour leur argent!

Toute à sa rêverie mélancolique, elle l'écoutait à peine.

– Allez, secoue-toi, réagis! J'ai dit vers la gauche, la tête! Non, pas comme ça! *A gauche!*

Agacé par son manque d'énergie et de bonne volonté, Derrick avait du mal à cacher son impatience. Il avait trop chaud et des gouttes de transpiration perlaient sur son front. Pas un souffle de vent n'agitait les branches des palmiers. Le soleil de midi était brûlant et la séance s'étirait en longueur.

– Voilà... relève le menton, encore un peu. Stop! C'est bon.

Il prit le cliché et descendit du rocher où il s'était perché.

– Repose-toi, Diana.

Il éleva la voix et cria à son équipe :

– Cinq minutes de pause! On termine juste après!

Il donna quelques ordres à son assistant et rejoignit son amie. Immobile, elle contemplait pensivement l'eau bleue de la lagune.

– Qu'est-ce que tu as?

Accroupi près d'elle, il faisait des ricochets avec des galets plats qui rebondissaient sur l'eau.

– Tu es aussi naturelle qu'une poupée mécanique! Si tu ne veux pas redescendre de ton nuage, tu sais ce qui nous attend : comme punition, Steins va nous obliger à tout recommencer. Et ce sera une journée de perdue!

En entendant prononcer le nom de Steins, elle leva les yeux. On aurait dit qu'elle venait seulement de s'apercevoir de sa présence.

– Excuse-moi, Derrick. Je suis fatiguée et je n'arrive pas à me concentrer. Il reste combien de pellicules à faire?

– Deux, ma belle! Sois un amour : essaie de participer un peu plus! Je sais qu'il fait chaud, que tu transpires et que tu en as assez, mais pendant dix minutes, je te demande d'être ma déesse fraîche, détendue et comblée... s'il te plaît...

Elle acquiesça d'un signe de tête. Il lui pinça tendrement la joue.

– Tous en place! On termine! Madeline? Repoudre un peu son visage. Pendant que tu y es, remets un peu de brillant à lèvres.

Il prit son appareil photo des mains de son assistant et regarda autour de lui en quête d'inspiration.

– Diana! Tu vas t'éloigner lentement de moi, vers la cascade. A mon signal, tu tourneras sur toi-même jusqu'à ce que je te dise d'arrêter. Compris?

Il la regarda par le viseur.

– Commence à marcher... Et maintenant, danse... oui, comme ça... Tourne sans arrêt. Laisse-toi emporter par ta vitesse. Bien! Génial! s'exclama-t-il.

En deux enjambées, il fut près d'elle et la prit dans ses bras d'un air reconnaissant.

– C'est presque fini, murmura-t-il pour l'encourager.

Un peu étourdie, Diana se rendit compte qu'elle allait redevenir la femme qu'elle avait été et voulait de toutes ses forces redevenir : Diana Lynn Nolan!

A mesure que l'on approchait de la fin du programme, la tension montait dans toute l'équipe. De l'habilleuse aux assistants, tous attendaient que le rideau retombe, comme les spectateurs fascinés voient apparaître sur l'écran le générique de fin. Ignorant leurs regards curieux et l'attroupement qui s'était formé autour d'eux, Derrick prit Diana par la main et la conduisit sous les palmiers – dans une petite clairière ombragée, entourée de fleurs sauvages, qui les protégeaient des regards indiscrets. A travers l'écran de feuillage verdoyant, la cascade ressemblait à un ruban de moire bleue.

Inconscient de la signification intime de ce décor, Derrick la fit asseoir sur le tapis d'herbe. A sa demande, elle remonta ses jambes sous son menton, les bras autour des mollets, avec une grâce juvénile. Il remit en place les plis de sa tunique, attentif et méticuleux.

– Détends-toi une minute pendant que je me prépare.

Le regard vague, elle ne l'écoutait déjà plus. Dernier décor, dernier cliché... mais au prix de quel effort sur elle-même! L'ironie du sort l'avait ramenée là, sous les palmiers indifférents, témoins muets de l'amour qui avait uni un homme et une femme par un bel après-midi... Cette fois, elle était seule dans ce refuge douillet et silencieux où, autrefois, avaient gémi deux amants enlacés...

Dans son cœur, il n'y avait plus maintenant que vide et solitude. Elle était seule avec ses souvenirs...

– On reprend, Diana, O.K.? Je vais te demander de me jouer une petite scène : tu vas faire comme si tu te réveillais d'un rêve mélancolique. Ouvre lentement les paupières... Soudain, tu vois devant tes yeux émerveillés l'homme de tes rêves. Imagine que ce que tu as toujours espéré d'un homme se matérialise devant toi. En même temps que ton rêve secret, c'est celui de toutes les femmes du monde que tu vas réaliser...

Compris? On découpera la pose en trois temps : un – tu rêves, deux – tu te réveilles, et trois – tu lèves lentement la tête et tu vois ton rêve réalisé. L'homme de ta vie est là, qui t'attend...

Sous le charme de la suggestion, Diana se prêta au jeu. Elle releva lentement la tête : sous son regard ébloui, au lieu du vide auquel elle s'était attendue, Paul Treneau apparut, plus grand, plus beau, plus séduisant, mais aussi plus inaccessible que jamais!

L'admiration qui se lisait dans ses yeux d'ambre

était la plus belle récompense à tous ses efforts. Sur ses lèvres sensuelles se dessina un sourire radieux qui effaça d'un seul coup le temps perdu et lui donna l'illusion qu'il n'existait plus entre eux deux de malentendus.

Comme par magie, une brise fraîche se leva, caressant le visage rayonnant de Diana. Pareil aux alizés imprévisibles, Paul était revenu, il répondait à son appel...

Comme dans ces films muets où l'héroïne ne dispose que des expressions de son visage pour laisser parler son cœur, Diana sourit, et dans son sourire se lisait un bonheur indicible...

Derrick ne prit pas le temps de s'interroger sur cette métamorphose : sous ses yeux, elle renaissait à la vie. Il lui fallait tout de suite capturer à jamais l'instant magique où l'âme invisible d'une femme apparaît sur son visage rayonnant de bonheur...

– Superbe, Diana!

Dans un élan d'enthousiasme, il s'agenouilla près d'elle pour l'embrasser sur la joue.

– Notre étoile Bien-Aimée est née!

Par-dessus son épaule, elle ne quittait pas des yeux le séduisant visage de Paul. Derrick la regarda droit dans les yeux.

– Nous avons donné le meilleur de nous-mêmes. J'ai hâte de connaître la réaction de Steins! Quant au petit dictateur Treneau...

Spontanément, elle couvrit sa bouche pour l'empêcher de continuer.

Il chercha dans son regard la confirmation de ce qu'il craignait, mais n'osait encore croire : elle lui fit un petit signe d'avertissement. Interloqué, Derrick leva les yeux au ciel, se releva lentement et se tourna en rougissant vers Paul Treneau, un peu en retrait derrière lui.

– Je... euh... je me laisse quelquefois emporter, monsieur Treneau.

Il s'embrouillait lamentablement en essayant de s'excuser.

– Par votre tempérament d'artiste... mais aussi

par vos déclarations un peu irréfléchies, à ce que j'entends.

Son ton froid contredisait la lueur amusée qui dansait dans ses yeux.

– Nous pourrions peut-être bavarder ensemble ce soir au dîner? Vous êtes libre?

Abasourdi mais soulagé, Derrick serra la main de Treneau.

– Disons... à sept heures?

– Entendu, monsieur Jerrard. Vous êtes également conviée, mademoiselle Nolan.

Elle le regarda : jamais il n'avait été si proche et pourtant si lointain...

– Merci, monsieur, murmura-t-elle en baissant les yeux pour se dérober à son regard pénétrant.

Aussi brusquement qu'il était apparu, Paul s'éclipsa. Confus, Derrick le regarda s'éloigner, puis se tourna vers Diana. Elle attendait, résignée, la question qu'il n'allait pas manquer de lui poser. Contrairement à son attente, Derrick eut un petit rire nerveux.

– Eh bien! Je ne l'imaginais pas aussi grand, mais je crois qu'il supporte bien la comparaison avec Napoléon!

Le repas la mit à la torture : elle était folle de joie à l'idée de retrouver Paul et en même temps elle voulait à tout prix cacher ses sentiments aux convives attablés. Lui, comme d'habitude, restait impassible : sa conversation était agréable mais impersonnelle, son attitude polie mais réservée. Pas un geste, pas un regard ne lui échappa, qui aurait pu trahir ses sentiments envers elle. Diana ne cessait de le regarder, presque malgré elle, sous l'œil attentif et aigu de Derrick... Elle échappa aux trois hommes, à l'heure du dessert, pour aller se réfugier dans sa chambre...

A présent, elle arpentait nerveusement la pièce plongée dans la pénombre. La pluie s'était mise à tomber. Son bruit doux et régulier apaisa un peu ses nerfs à fleur de peau. Elle sortit sur le balcon. Sa robe de soie bleue ondulait sous la brise et ses cheveux flottaient au vent. Immobile, elle contemplait pensivement le rideau de pluie.

Pourquoi ne profite-t-on vraiment de son bonheur qu'au moment où il va s'échapper? Oui, elle regretterait bientôt la magie de Kauai... Demain, elle quitterait cette île merveilleuse, mais aussi Paul – sans avoir pu lui avouer combien elle tenait à lui depuis cet après-midi dans la lagune... Mais le lui aurait-elle dit? Pouvait-elle courir le risque d'une nouvelle aventure dont elle ne devinait que trop bien l'issue?

Brusquement, elle entendit un bruit furtif derrière elle. Sans même se retourner, elle comprit que Paul venait d'entrer. L'occasion inespérée de lui parler était arrivée. Ses nerfs tendus le prouvaient assez!

Elle avait toujours su, au plus profond d'elle-même, qu'il reviendrait...

– La pluie vous rend nerveuse, Diana?

Elle sentit son souffle chaud au creux de sa nuque et hocha la tête. Il posa ses mains sur sa taille et sa joue contre ses cheveux.

– La pluie seulement? Rien d'autre?

Le cœur battant, elle cherchait désespérément les mots qu'elle aurait voulu lui dire... De tout son cœur, elle désirait lui crier: Si, Paul! C'est cette attente... l'attente interminable de ton retour!

– Oui, ce n'est que la pluie, murmura-t-elle dans un souffle.

Ses lèvres sensuelles effleuraient délicatement son cou. Elle frissonna.

– Vous mentez mal, déesse. Votre corps parle pour vous, chuchota-t-il.

Lentement, sa main glissa dans le décolleté profond de sa robe et caressa ses seins fermes et ronds.

– Ne niez pas votre désir, Diana... Dites-moi, si ça vous chante, que je ne vous ai pas manqué, que vous n'êtes pas aussi impatiente que moi, mais oubliez votre amour-propre. Cet instant est trop précieux... nous n'avons pas le droit de le laisser s'enfuir.

Il la fit pivoter dans ses bras et la plaqua contre son corps.

– Ne me repoussez pas, Diana...

Ses lèvres ardentes et sensuelles se posèrent sur les siennes. Du bout de la langue, il explora la tiédeur de sa bouche. Elle enroula ses bras autour de sa nuque pour caresser ses cheveux fauves. Son corps de femme se fondait contre sa virilité et sa dureté d'homme... Elle se perdit dans la volupté passionnée de son baiser.

Lorsque Paul la porta vers le lit, elle se souvint des paroles de Derrick :

Le soleil se couchera encore à l'horizon, mais plus rien ne sera jamais pareil, comme l'extase fugitive mais indicible que l'on éprouve dans les bras d'un amant...

Paul fit glisser sa robe sur sa peau. Elle le regarda se déshabiller... Et si ce n'était qu'un rêve?

Paul s'allongea près d'elle. D'une main sûre et douce, il dessina la courbe de ses hanches, éveillant en elle l'étincelle du désir...

Si ce n'est qu'un rêve, Paul, fais-le durer toujours... Il n'y a plus que toi et moi au monde... Plus de Paul, plus de Diana... seulement un homme et une femme unis par un désir contre lequel ils ne peuvent rien...

Le bruissement doux de la pluie sur le feuillage et les caresses de Paul la transportèrent dans un monde irréel. Il l'attira contre sa peau nue. Le cœur battant, elle se blottit voluptueusement contre lui sans même l'entendre chuchoter :

– Non, Diana, ce n'était pas la pluie... Non, ma déesse Bien-Aimée, mon rêve... ce n'était pas la pluie...

7

– Je pense que vous faites une erreur, Paul, dit Steins, rompant le silence pesant qui régnait dans la bibliothèque.

Il posa sa tasse de café et attendit la réponse de M. Treneau : il savait sa remarque inutile, car son patron ne revenait jamais sur ses décisions, mais il se devait de protester pour la forme. Le calme de Paul était impressionnant.

– Que voulez-vous dire ? demanda-t-il en étudiant le visage de son collaborateur.

– Que j'ai longuement étudié le dossier concernant le passé de Diana. Je vois de quel genre d'homme il s'agit. Si nous l'engageons comme maquettiste, nous risquons de provoquer la jalousie des employés de l'entreprise – d'autant que certains sont tout à fait qualifiés pour faire ce genre de travail, et...

Steins s'interrompit : il hésitait à aborder l'aspect plus personnel du problème.

– Et j'ai peur que Mlle Nolan ne soit traumatisée. Tout s'est parfaitement bien déroulé jusqu'à présent. Pourquoi provoquer le sort en la confrontant à

71

un passé qu'elle cherche visiblement à oublier ? Je vois plus d'inconvénients que d'avantages à cette solution, objecta-t-il.

– Toute la campagne est bâtie sur l'idée de perfection. J'ai engagé pour cela les meilleurs, dans tous les domaines. Vince Arnett est l'homme le plus qualifié que je connaisse pour faire la maquette publicitaire, répondit Paul, inflexible.

– C'est juste, concéda Steins. Pourtant, je persiste à croire que vous vous exposez à des conflits qui mettent en danger la réussite de notre aventure. Il serait plus sage de les éviter, insista-t-il.

Il était de son devoir d'avertir Paul : jamais il ne l'avait vu aussi fermé à un conseil amical. Sa décision était folle, il le savait, mais il s'entêtait quand même.

– Plus sage ?

Paul parut peser le pour et le contre, puis il regarda Steins droit dans les yeux.

– Peut-être, mais Vince Arnett fera cette maquette et c'est vous-même qui l'engagerez.

Indigné, David se leva. Convaincu du bien-fondé de ses prévisions, il en oublia son habituelle prudence.

– Réfléchissez encore quelques jours, Paul. Si vous ne changez pas d'avis, alors...

– J'ai dit *maintenant* ! coupa-t-il.

Steins se redressa, l'air offensé.

– Comme vous voudrez.

Il ouvrit la porte avec une brusquerie inhabituelle et se retrouva en face de Diana, qui s'apprêtait à frapper.

– Mademoiselle Nolan, marmonna-t-il au passage.

Déconcertée, elle eut l'impression qu'il lui en voulait. Pourquoi ? Elle l'ignorait, tout comme les raisons de sa convocation matinale dans la bibliothèque. C'était inexplicable et, surtout, ça ne présageait rien de bon...

– Entrez, Diana, ordonna Treneau, la tirant de sa rêverie.

72

Que lui réservait ce nouvel entretien? Paul était tellement imprévisible qu'elle ne savait comment se comporter. Quel rôle jouerait-il ce matin?

Leur intimité de la nuit s'était enfuie avec le lever du jour. Fallait-il l'appeler par son nom et faire comme s'il ne s'était rien passé entre eux? Mieux valait lui laisser l'initiative de la conversation et du ton qu'il voulait y apporter. Les circonstances décideraient pour elle... une fois de plus.

– Voulez-vous du café?

– Avec plaisir, dit-elle en s'asseyant.

– Vous êtes ravissante ce matin. J'avais peur de ne pas vous voir avant votre départ, déclara-t-il en la regardant d'un air pénétrant.

A ces mots, son cœur bondit.

– Je ne serais pas partie sans vous dire au revoir, Paul.

Diana avait prononcé son prénom sans même y penser. Elle leva timidement les yeux pour voir sa réaction, mais il regardait ailleurs.

– Mes affaires me retiennent à *Haven's Point* pour quelques jours. Je voudrais vous confier quelque chose avant votre départ.

Il contourna son bureau et lui tendit une petite clé en laiton.

– A quoi me servira-t-elle?

– A entrer dans l'appartement que j'ai loué pour vous. J'y ai fait transporter toutes vos affaires. Mon chauffeur viendra vous attendre à l'aéroport pour vous y conduire.

Elle regardait tour à tour son visage et cette clé avec un mélange de désarroi et d'étonnement.

Paul eut un sourire tendre.

– Votre vie va changer, Diana : vous serez bientôt une femme célèbre. Malheureusement, cela suppose beaucoup de contraintes. Vous appartenez maintenant au public. Vous devez offrir et maintenir une certaine image de vous-même.

Brusquement, son visage se durcit. Il eut un petit rire cynique.

– L'appartement fait partie de ces obligations,

déesse! J'espère que vous le trouverez à votre goût!

Décontenancée, elle rougit. Elle serrait la clé dans la paume de sa main. Les arêtes métalliques entraient dans sa chair. Paul avait-il d'autres intentions cachées? Quoi qu'il en soit, il s'était bien gardé de les préciser dans le contrat qui l'engageait comme mannequin!

– Je vous remercie, monsieur Treneau, mais j'ai l'impression que vous mélangez les rôles : je suis votre employée, pas une femme entretenue! Je suppose que vous possédez un double, n'est-ce pas?

– Que vous êtes méfiante!

Elle referma le poing sur la clé.

– Je suis ce que les circonstances exigent que je sois. J'essaierai d'être à la hauteur de ce qu'on attend de moi. Bien-Aimée ne voudrait surtout pas décevoir son *cher* public!

– Voilà qui est sage et raisonnable!

– Je suis lucide, c'est tout, rétorqua-t-elle. Avez-vous autre chose à me dire?

Une lueur indéchiffrable dansa dans ses yeux d'ambre. Il hocha la tête : elle était libre de se retirer. Elle se dirigea vers la porte en lui décochant un regard étincelant de colère. Paul l'observait d'un air narquois qui redoubla sa rage.

– Je vous laisse. Vous avez encore vos adieux à faire à votre belle-mère. Chacun son tour! Vous n'êtes pas homme à laisser les choses au hasard.

Elle allait sortir, mais il se précipita vers elle pour l'en empêcher en appuyant sur la porte.

– Vous auriez bien besoin d'une leçon de savoir-vivre, mademoiselle Nolan! On n'a pas le droit de faire des insinuations aussi grossières sans être certain de ce qu'on avance. Primo, vous possédez l'unique clé de l'appartement. Il n'en existe pas de double. Vous n'êtes pas une femme entretenue. Secundo, ma relation avec Nicole ne regarde que moi. Il va falloir dompter la mégère qui sommeille en vous, douce Diana!

74

Il la prit brutalement dans ses bras, la plaqua contre lui et l'embrassa avec une sauvagerie volontairement cruelle et humiliante, qui blessa son amour-propre plus encore que ses lèvres .

– Il vaut mieux éviter certains sujets, Diana!

De force, il lui releva le menton. Son regard était impitoyable.

– Je n'ai fait aucune allusion insultante à votre passé. J'attends de vous la même discrétion!

Il la traitait comme une gamine!

– Cela dit en guise d'au revoir... jusqu'à la prochaine fois! conclut-il avec un sourire méprisant.

Sur ces mots blessants, il caressa d'un doigt ses lèvres tremblantes, puis lui tourna brusquement le dos pour retourner derrière son bureau, comme si elle n'existait plus. Faute de pouvoir lui retourner la gifle qu'il méritait, elle se vengea par des paroles cinglantes.

– Vous avez raison! J'apprendrai donc à me taire! Je serai bientôt aussi distante, aussi polie... et aussi hypocrite que vous, monsieur Treneau!

Elle claqua la porte derrière elle. Un chapitre de leurs relations venait de se refermer...

Après le décollage, Derrick poussa un soupir de soulagement. Il avait toujours détesté prendre l'avion. Il déboucla sa ceinture en jetant un coup d'œil vers Diana : pourvu qu'elle n'ait pas remarqué la peur qu'il avait eue! Non, elle ne s'était aperçue de rien. Perdue dans ses pensées, elle regardait au dehors par le hublot.

– Alors, Diana, tu dis au revoir au paradis? demanda-t-il en l'aidant à se débarrasser de sa ceinture.

– Comment?

Elle posa sur lui un regard absent qui contrastait avec son teint radieux et doré par le soleil des îles.

– Tu es restée en bas, à Kauai, n'est-ce pas?

– Non, Derrick... Je rêvassais...

– Il y a de quoi, ma belle! Tu te rends compte de

la vie qui t'attend? Oui, jolie rêveuse, à toi l'argent, la gloire et le luxe! Bientôt, le monde entier se prosternera devant Diana Lynn Nolan. La déesse de l'amour sera honorée auprès de millions de personnes fascinées par le visage mystérieux de Bien-Aimée. Le visage d'une modeste employée en publicité... le tien!

Les yeux bleus de Derrick rayonnaient de joie. Cette chance incroyable, ce conte de fées qu'elle allait vivre, c'était un peu son œuvre à lui! Il vit son fidèle assistant avancer vers eux, une bouteille et deux verres à la main.

– Toute l'équipe s'est cotisée pour vous offrir le champagne! Gloire et honneur à l'union de la beauté et du talent! s'exclama-t-il. J'ai l'impression qu'on ne va pas s'ennuyer pendant le voyage, vu la provision de bouteilles! Venez en rechercher quand vous voudrez!

Derrick commença à ouvrir la bouteille.

– Il a des idées géniales, quelquefois, ce petit! Attention, le bouchon va sauter! Vite, les verres, Diana!

Trop tard! La mousse pétillante jaillit du goulot et Derrick se lécha les doigts en riant.

– C'est ta faute Diana! Aux grands maux les grands remèdes!

Il servit le champagne, posa la bouteille à côté de lui et leva son verre.

– A notre Bien-Aimée! Succès et bonheur!

Il le porta à ses lèvres et l'obligea à l'imiter tout en l'observant du coin de l'œil. Diana y goûta d'abord avec méfiance, puis avec un plaisir évident.

– Encore une coupe, déesse? Pas désagréable, hein?

– A la santé de mon complice et ami Derrick! s'exclama-t-elle avec un petit rire.

Ils trinquèrent. Diana se laissa griser par les bulles légères...

– Tu en as déjà bu? lui demanda-t-il, un peu inquiet.

– Non, mais il faut bien un début à tout!

– Je te préviens que ce n'est pas de l'eau! Les effets sont traîtres, tu sais!

– Merci du conseil! En attendant, buvons! Adieu le passé, à nous le futur! A mon nouveau visage, à ma nouvelle vie... à ma nouvelle personnalité!

Elle vida son verre comme pour se lancer un défi.

– A la tienne, Diana! A ta réussite!

La bouteille était vide. Derrick la laissa seule le temps d'aller en chercher une autre. Diana tourna ses yeux vers le hublot : sa belle euphorie était retombée. Elle se sentit brusquement mélancolique.

Dans quelle aventure s'était-elle lancée? Quel tourbillon était devenue sa vie? Les images du passé défilaient dans son esprit : elle se revit petite fille – innocente, confiante en l'avenir, puis jeune femme – désenchantée, déçue, méfiante. Depuis qu'elle était entrée aux *Cosmétiques Treneau*, elle n'avait vécu que pour son travail. Et puis un jour, elle s'était laissé prendre au piège de l'amour...

Sa vie était devenue une ronde folle. Comment tout cela allait-il finir? A cette idée, le vertige la saisit... ou n'était-ce que l'effet du champagne?

– Encore en train de rêver, Diana? A qui lèverons-nous nos verres cette fois-ci? demanda Derrick, l'arrachant à ses pensées.

Gagnée par sa bonne humeur communicative, elle tendit son verre en souriant.

– Je te laisse décider! La rêveuse s'efface devant l'homme d'action!

– A propos d'action... tu me donnes une idée. Buvons à la santé du maître de nos rêves et de nos ambitions – à celui qui gouverne notre vie... j'ai nommé Paul Treneau! dit-il en épiant sa réaction.

Elle se força à sourire le plus naturellement du monde.

– A Treneau! Mais dis-moi, Derrick, ça ne t'ennuie pas de rester avec moi alors que toute l'équipe s'amuse au fond de l'avion?

– Il faudrait être fou pour s'ennuyer en compagnie d'une créature aussi belle! s'exclama-t-il avec un clin d'œil.

Malgré sa désinvolture, Derrick était inquiet : Diana n'était pas elle-même. Il savait que tous les mannequins ont un moment de dépression après les séances de pose exténuantes, mais son intuition lui disait que Diana était bouleversée. Le problème était de le lui faire avouer : elle était tellement secrète, inaccessible! Il l'observa attentivement pendant qu'elle remplissait leurs coupes.

– Je pensais... Ça fait un bout de temps qu'on se connaît tous les deux, Diana...

– Oui, depuis très longtemps. Pourquoi?

– Comme ça... C'est drôle, mais j'ai l'impression que nous ne nous sommes jamais fait de confidences, d'ami à amie. Bien sûr, on a refait le monde des dizaines de fois... Mais de nous, de ce que nous sommes vraiment, pas un mot! Ça ne t'a jamais frappée?

– Non, mais il n'est pas trop tard pour commencer. Et si tu me racontais ce qui se cache derrière le photographe de talent et le séducteur charmant que tout le monde connaît?

Derrick devint brusquement grave.

– On commence par moi? Alors allons-y : mon passé est banal, tu sais. Fils de petits-bourgeois, j'ai toujours rêvé de monter dans l'échelle sociale pour gagner de l'argent, mais aussi pour être quelqu'un de reconnu. A cause de mon grand frère, sans doute... Il avait toutes les qualités : beau, intelligent, sportif, diplômé d'une grande université, don Juan. Il mène maintenant une vie rangée. Il a réussi et il a tout pour être heureux : une femme mondaine, la respectabilité, un travail intéressant et deux enfants superbes! Et qu'est-ce que j'ai fait, moi, pendant ce temps : des photos! J'étais le canard boiteux de la famille, l'original, l'artiste!

J'ai eu envie de me prouver que je pouvais moi aussi devenir *quelqu'un*. Je suis devenu ambitieux, comme les autres, et j'ai réussi. Je veux gagner de l'argent, beaucoup d'argent, et entendre murmurer mon nom quand j'arrive quelque part. Je veux qu'on me considère comme un artiste de talent...

Déconcertée par cette confession inattendue, Diana le regarda vider sa coupe d'un trait.

– Et toi, Diana, qu'est-ce que tu attends de la vie? La gloire? La richesse? L'amour?

Elle aurait bien voulu le savoir! Ses rêves et ses illusions d'enfants s'étaient évanouis. Que lui restait-il désormais?

– Le hasard a fait de moi une femme riche et célèbre, mais je n'ai jamais eu qu'un seul rêve : être aimée, murmura-t-elle.

– L'amour, toujours l'amour! Les femmes ne rêvent que de ça! Mais tu oublies que je suis magicien et que je connais ton secret : tu as trouvé l'amour! s'exclama-t-il en riant.

– Non, Derrick. Je le croyais, mais je me suis trompée. C'est drôle, tu sais... Je n'y croyais plus... Et puis il s'est passé quelque chose qui m'a redonné espoir. J'ai cru que le destin m'offrait une deuxième chance... Hélas! il faut croire que c'était impossible, avoua-t-elle d'une voix étranglée par l'émotion.

Sa confession le bouleversa. Il se rendit compte qu'il n'aurait pas dû la questionner, mais le mal était fait. Diana était triste, et c'était par sa faute!

Elle le regarda avec méfiance : elle ne voulait pas de sa pitié!

– Puisque je suis devenue une déesse, j'accepte avec reconnaissance la gloire et la richesse. Le reste n'est pas pour moi, c'est tout. Je bois à la santé de Bien-Aimée et à celle de Derrick!

– Je lève mon verre à l'amour! Tout vient à point à qui sait attendre, Diana...

Elle resta un moment silencieuse, puis trinqua en murmurant :

– A l'amour...

Diana ouvrit les yeux et massa doucement ses tempes douloureuses. Elle avait la bouche sèche et empâtée.

La porte de sa chambre s'ouvrit : c'était Derrick, une tasse fumante à la main. Il s'assit au bord du lit et la contempla avec une tendresse paternelle. Sur l'oreiller, son visage immobile était d'une pâleur inquiétante.

– Je vais t'aider à t'asseoir. Tu vas me faire le plaisir d'avaler ça, dit-il en posant la tasse sur la table de nuit.

– Je ne peux pas, gémit-elle.

Il ne voulut rien entendre et la força à se redresser en la calant confortablement au milieu de coussins. A bout de forces, elle se laissa faire.

– Allez, un effort ! Bois la tisane pendant qu'elle est chaude. Je te promets que ça te fera du bien.

Tout ! Elle aurait tout fait pour le faire taire ! Sa migraine était insupportable et le moindre bruit résonnait dans sa tête comme un marteau. Elle avala peu à peu le liquide brûlant sous l'œil attentif de Derrick, protecteur comme une mère poule.

– Tu ne t'es pas ennuyée hier soir ! Tu t'en souviens au moins ?

– Non, murmura-t-elle dans un souffle.

– C'est bien ce que je pensais ! Je t'avais pourtant prévenue : il n'y a rien de plus traître que le champagne ! Mais non. Mademoiselle n'en a fait qu'à sa tête : tu n'as que ce que tu mérites ! Pour être la vedette, tu as été la vedette de la soirée ! On s'est bien amusés, tous les deux !

Il s'interrompit un instant, les yeux pétillants de malice.

– Tu aurais vu la tête du chauffeur quand il nous a ramenés ici ! Les yeux lui sortaient de la tête ! On s'est mis à lui chanter des rengaines à tue-tête pour le dérider un peu ! Penses-tu... une vraie tête d'enterrement ! Tu m'avais caché tes talents de chanteuse, Diana ! Ah ! Ton interprétation de *Pas besoin d'un fusil pour toucher le cœur d'un homme* était fantastique ! s'exclama-t-il en lui faisant un baise-main ironique.

Consternée, elle se pelotonna sous ses couvertures. Qu'il se taise ! Pour une fois, les dons de conteur de Derrick ne la faisaient pas rire, et pour cause! Il ne voulait lui épargner aucun détail de sa mémorable soirée!

– Le pire, c'est le moment où il a fallu mettre la clef dans la serrure! Impossible : elle ne rentrait pas! Heureusement, ton voisin de palier est arrivé et il nous a gentiment aidés. Il en a profité pour nous inviter à une soirée de dégustation de vins qu'il organise samedi prochain. Là, tu m'as épaté : tu t'es lancée avec lui dans une grande discussion sur les mérites de certains millésimes, les qualités et les défauts des grandes marques... Tu t'y connais rudement bien!

– Pas du tout! protesta-t-elle faiblement.

– Alors tu joues bien la comédie. Bref, nous avons finalement réussi à rentrer. Tu n'arrêtais pas de rire et de plaisanter... Et puis, brusquement, tu t'es mise à pleurer comme une petite fille en voyant le bouquet de roses que Treneau t'avait fait livrer. La vraie fontaine! Je n'en revenais pas. Au fond, tu n'étais pas si joyeuse que tu en avais l'air...

– Je ne sais pas. Je ne me souviens de rien! répliqua-t-elle, exaspérée.

– Et pour cause! Tu t'es évanouie aussitôt après. C'est moi qui t'ai mise au lit.

– Comment? Tu... tu as osé...

– Enfin, Diana, c'était la moindre des choses, tout de même. Oui, je t'ai déshabillée pour te mettre en chemise de nuit, je t'ai bordée, je t'ai fait un baiser sur la joue pour te consoler et je t'ai laissée dormir. Comme je ne voulais pas t'abandonner toute seule dans cet état, j'ai dormi sur le canapé. En tout bien tout honneur!

Il lui fit un clin d'œil et se massa la nuque en grimaçant.

– J'ai un de ces torticolis!

– Merci, Derrick. Je te rendrai la pareille si l'occasion se présente. Tu as été très chic avec moi.

– Pas question! Tu crois pouvoir te débarrasser comme ça de tes dettes envers moi? Sûrement pas... Pour une fois que quelqu'un me doit tout, ou presque, je ne te laisserai pas t'envoler comme ça!

Il contempla ses traits tirés.

– Tu ne veux pas que je reste encore un peu avec toi? demanda-t-il, sincèrement inquiet.

– Non, Derrick. Tu peux rentrer chez toi. Je me sens déjà mieux.

– D'accord, mais promets-moi de te reposer. Je t'appellerai dans la journée. Reste bien au chaud, surtout! Ça va passer, ne t'inquiète pas, dit-il en remontant l'édredon de satin. Ah! J'oubliais le plus important : il y a une enveloppe attachée au bouquet de roses. Tu n'as pas voulu l'ouvrir hier soir.

Sur ces mots, il partit.

Les yeux brillants de larmes, Diana parcourut du regard sa nouvelle chambre. Elle avait mieux à faire que de lire ce message! Elle ne savait pas – de sa migraine ou de sa tristesse – ce qui la faisait le plus souffrir. Mais une chose était certaine : elle devait lutter, lutter de toutes ses forces!

8

Sans ralentir l'allure, Diana s'engouffra au pas de course dans l'entrée de la luxueuse résidence où elle habitait désormais et monta l'escalier d'un pas léger. Son point de côté la faisait souffrir, son cœur cognait violemment dans sa poitrine et des perles de transpiration luisaient sur son front dégagé par un bandeau d'éponge. Arrivée devant sa porte, elle souffla longuement pour se décontracter. Ses muscles étaient douloureux mais ce jogging de trois kilomètres lui avait redonné du tonus et de l'énergie à revendre.

Et il lui en fallait! Elle venait à peine de pénétrer dans l'appartement que le téléphone se mit à sonner. Encore essoufflée par sa course, elle monta les trois marches de bois blanc et décrocha en observant machinalement les traces blanches que ses tennis avaient laissées sur la moquette.

– Allô?

– Mademoiselle Nolan? demanda une voix incertaine.

– Elle-même, dit-elle en épongeant son front avec le bandeau qui retenait ses cheveux.

– Oh! Excusez-moi. Je n'avais pas reconnu votre voix. Je ne vous dérange pas, j'espère?

Elle percevait le ton cérémonieux de David Steins.

– C'est-à-dire que... vous auriez pu mieux tomber...

– Je suis confus...

Il y eut un silence embarrassé. Elle sourit à l'idée qu'elle avait réussi, pour une fois, à le désarçonner. Il s'éclaircit la gorge et poursuivit.

– J'aimerais vous voir le plus vite possible. Dès cet après-midi, si cela vous convient. Je suis désolé de vous bousculer. Je sais que vous n'avez pas eu le temps de vous reposer, mais la campagne publicitaire est prioritaire sur tout le reste. Vous ferez la connaissance de Nicholas DeConi, notre directeur artistique. C'est lui qui supervisera le tournage de notre publicité télévisée prévu pour mardi prochain. Pourriez-vous être là à quatre heures et demie?

Elle acquiesça poliment, mais ne put s'empêcher de penser qu'elle aurait préféré remettre l'entretien à plus tard : quelques jours de repos lui auraient fait le plus grand bien. Malgré tous ses efforts, elle se ressentait encore de ses excès de la veille...

Elle raccrocha avec une moue boudeuse et consulta sa montre : il lui restait deux heures avant son rendez-vous. Ouf! Cela lui laissait le temps de souffler un peu!

Elle parcourut du regard le luxueux appartement avec un mélange d'étonnement et de plaisir. Le décor ne lui était pas tout à fait familier, mais elle le trouvait à son goût. D'une simplicité élégante et raffinée, il avait la perfection de ces intérieurs de rêve photographiés dans les magazines spécialisés. Il était presque trop beau... Elle y avait apporté le matin même quelques petites touches personnelles et, depuis, elle s'y sentait vraiment chez elle.

Ses yeux se posèrent sur le bouquet de roses rouges que lui avait envoyé Paul Treneau. Derrick les avait disposées dans un vase de cristal, sur la table rustique du salon. Surmontant son appréhension, elle en respira le parfum suave et découvrit l'enveloppe blanche épinglée au feuillage. Elle l'ouvrit d'une main tremblante et en sortit un carton bordé d'un filet doré.

J'espère que ces roses parleront mieux que je n'ai su le faire. A bientôt. Paul.

Elle le lâcha brusquement, comme s'il lui brûlait les doigts. Il tomba à côté du vase où elle le contempla quelques instants, puis elle s'arracha à ses pensées. Elle avait mieux à faire que de rêvasser! Steins détestait que l'on arrive en retard!

Elle se fit couler un bain chaud et parfumé, puis se glissa avec délices dans la grande baignoire ronde. La tête posée sur le rebord, elle ferma les yeux et poussa un soupir. De tous les plaisirs quotidiens, le rituel du bain était un luxe dont elle ne se serait privée pour rien au monde. Le cadre somptueux de sa nouvelle salle de bains ajoutait encore à son bien-être.

Paul Treneau avait du goût – elle devait le lui reconnaître, mais elle se reprochait de trouver naturel cet étalage de luxe et d'y prendre un certain plaisir... Les paroles qu'elle avait prononcées à Kauai hantaient sa mémoire:

Je suis une employée – pas une femme entretenue!

Et pourtant... Pourquoi l'attribution de cet appartement ne figurait-elle pas dans le contrat qu'elle avait signé? Si Paul le lui avait offert à titre personnel, comment pourrait-elle le remercier de sa générosité? Avait-il une idée derrière la tête en l'installant ici comme une reine?

Elle se frictionna longuement avec la grosse éponge végétale pour effacer les dernières traces de fatigue, tout en ironisant sur sa situation: l'éponge de Treneau... le savon de Treneau... Elle n'en sortait plus! Même absent, il gouvernait toute sa vie! Il avait fait d'elle sa chose, tour à tour maîtresse, déesse, esclave... et elle avait laissé le piège se refermer sur elle sans s'en rendre compte!

Elle s'enveloppa dans le grand drap de bain marqué des initiales de Paul et son regard croisa son reflet dans le miroir.

Voilà ce que je suis devenue! Un reflet! songea-t-elle.

Paul Treneau l'avait modelée à l'image de son désir... mais le changement qui s'était opéré en elle était bien plus profond! Elle était devenue *sa* création, elle s'était incarnée dans son personnage de Bien-Aimée. Le souvenir de celui qui avait fait d'elle une déesse ne la quittait plus : comment oublier la séduction de son visage, de ses lèvres, de sa peau? Il le fallait, pourtant, même si cela devait lui en coûter! Elle n'avait pas le droit de rester prisonnière de ses émotions. Paul exerçait déjà sur sa vie un pouvoir effrayant. Brusquement les paroles de Nicole lui revinrent en mémoire : *Vous êtes jolie. C'est votre principal atout. Servez-vous de vos charmes comme d'une arme pour défendre vos intérêts. C'est le seul moyen de vous en sortir!*

Hélas! Nicole avait raison. Paul régnait sur sa vie en despote absolu. Il avait fait d'elle un pantin qu'il manipulait à sa guise, mais il n'était peut-être pas trop tard pour réagir. La gloire et la richesse l'aideraient à se faire des relations. Elle en profiterait pour se libérer des liens qui l'enchaînaient au tout-puissant Paul Treneau!

Un instant, pourtant, elle se sentit coupable. Ses sentiments eurent brusquement raison de sa volonté : elle se souvenait de sa dernière nuit à Kauai, du bruit doux de la pluie tropicale, du souffle de la brise sur leurs corps enlacés... et du plaisir qu'elle avait ressenti quand elle s'était donnée à lui.

Mais cet homme n'existait que dans ses rêves! Celui qu'elle avait désiré, puis repoussé – attendu et retrouvé –, cet homme tendre avait disparu avec la nuit. Au matin, il avait son vrai visage : celui du tyran, du despote absolu, qui voulait faire d'elle sa propriété exclusive!

Elle revint brusquement à la réalité : elle n'hésiterait devant rien pour briser ce lien insupportable!

Au lieu d'accepter passivement la rançon de la gloire, elle deviendrait bientôt le mannequin le plus demandé de toute l'histoire de la publicité. Son destin lui appartenait et c'était à elle seule d'en décider!

Dans le miroir, ses yeux verts brillaient d'une détermination farouche. Elle se contempla longuement en se faisant la promesse de devenir vraiment Bien-Aimée! L'illusion allait s'incarner dans une femme de chair et de sang. Elle consacrerait toute son énergie à un objectif précis : échapper à l'emprise de son créateur. Non seulement elle acceptait son titre de déesse, mais elle avait la ferme intention de s'en servir à son avantage exclusif!

— Vous êtes beaucoup plus compétents que moi en la matière, messieurs, mais je me demande si vous ne faites pas fausse route. L'image que vous souhaitez donner de Bien-Aimée est celle d'une femme comblée, n'est-ce pas? Alors pourquoi vous lancer dans de longues dissertations? Toute la campagne publicitaire est fondée sur la subtilité : ne craignez-vous pas de noyer l'effet par un bavardage inutile? Il me semble que tout notre art consisterait à suggérer plutôt qu'à expliquer, déclara Diana en regardant tour à tour David Steins et Nicholas DeConi.

Les deux hommes échangèrent un bref coup d'œil : que n'y avaient-ils pensé plus tôt? C'était l'évidence même! DeConi lui adressa alors un sourire contrit.

— A vrai dire, je n'avais pas envisagé les choses sous cet angle, avoua-t-il. Pourtant, je pense que vous avez vu juste. Vous possédez un sens très aigu des affaires, mademoiselle Nolan. Pourriez-vous préciser un peu votre idée?

Elle réfléchit quelques instants avant de répondre.

— Si je ne disposais que de soixante secondes pour faire passer un message, je miserais tout sur le pouvoir évocateur de l'image plutôt que sur un commentaire. On peut exprimer l'amour à travers le regard admiratif d'un homme et quelques mots chuchotés à l'oreille de l'aimée, d'une voix grave et mélodieuse. Il faudrait concentrer toutes les idées maîtresses dans une formule simple et facile à retenir.

Stupéfié, Steins la contempla longuement : cette femme était une énigme! Elle jusqu'à présent si passive se révélait brusquement intéressée et enthousiaste. C'était à n'y rien comprendre... Ah! Ces femmes!

– Qu'en pensez-vous, David? Vous avez un slogan à proposer? demanda DeConi.

– Cela dépasse mes compétences! Je suis tout sauf un créatif. Interrogez-moi sur les calendriers de travail, les coûts, les aspects légaux et je vous répondrai. Vous êtes directeur artistique, que diable!

Steins remit en place le nœud de sa cravate d'un geste nerveux.

– Et vous, mademoiselle Nolan : vous avez bien votre petite idée sur la question?

Il lui lançait un défi!

– En effet, monsieur DeConi. Je travaillais dans la publicité avant d'être choisie pour représenter Bien-Aimée. J'y ai réfléchi, sans doute par réflexe professionnel. Le slogan que j'ai trouvé me plaît : il est concis, agréable à l'oreille, et sans fioritures inutiles :

Grisante promesse de bonheur – Inoubliable serment d'amour – Bien-Aimée, votre parfum.

Les yeux noirs de DeConi brillaient d'admiration respectueuse.

– Avec un slogan pareil, c'est du tout cuit, David! Inutile de nous attarder aujourd'hui sur les détails de la campagne. Notre chère collaboratrice est d'une redoutable compétence! Le tournage ne posera aucun problème!

Il observa Diana : dans son pantalon blanc et sa veste assortie, elle était ravissante.

– Je ne me fais aucun souci, mademoiselle Nolan. Nous allons nous entendre à merveille.

Ils échangèrent une poignée de main.

– Si cela ne vous dérange pas, je préférerais vous appeler par votre prénom, Nick, dit-elle avec un sourire désarmant.

– Entendu... A mardi, Diana!

Il sortit, conquis par le charme et la personnalité de cette femme...

– Est-ce tout, David? demanda-t-elle en se mettant d'emblée à égalité avec lui.

– Eh bien, euh... Il reste encore quelques détails à régler, mademoiselle... Diana, bafouilla-t-il, stupéfait par l'aisance avec laquelle elle l'abordait.

– Par exemple?

– Il s'agit essentiellement de votre programme de travail : mardi, enregistrement de la publicité télévisée. Samedi soir : cocktail de promotion où sont conviés les futurs acheteurs. Apparitions personnelles dans tous les grands magasins du pays : *Nieman Marcus, Sakowitz, Garlands* et *Diarmonds* – ainsi que chez certains acheteurs potentiels, comme *Lord et Taylor*, de Houston et *LaBere's*, de New York. Plus diverses réceptions mondaines auxquelles vous serez tenue d'assister pour entretenir notre image de marque. Les premiers mois seront sans doute épuisants, mais je suis certain que vous serez à la hauteur de votre mission.

– Les dés sont jetés, n'est-ce pas?

Elle croisa le regard de Steins : tous deux savaient qu'il était trop tard pour reculer. Diana sentit que sa vie allait vraiment lui échapper...

– Ils l'ont été le jour où nous vous avons engagée, Diana.

– Mais je m'en rends compte aujourd'hui.

Elle se leva, gracieuse, confiante et superbe.

– Je jouerai mon rôle, David. Je ne voudrais pas vous décevoir et trahir votre confiance.

– Je ne me fais aucun souci à ce sujet, Diana.

Il avait prononcé son prénom avec une admiration sincère. Elle eut un petit sourire songeur.

– Vous serez présent au cocktail de samedi?

– Bien entendu. Je vous souhaite bonne chance pour le tournage.

L'entretien était terminé. Elle sortit et referma sans bruit la porte derrière elle...

DeConi murmura quelques mots à l'oreille du metteur en scène, qui hurla aussitôt :

– Coupez!

Il entra sur le plateau.

– Ta marque, Victorio! Regarde où tu mets les pieds, bon sang! Si tu ne restes pas dessus, ça fait une ombre sur cet adorable visage, dit-il en caressant la joue de Diana. C'est lui que je veux voir, pas le tien! Ça fait cinq fois qu'on refait la même prise!

« Dans cette séquence, on ne voit que ton profil en contre-jour, qui s'approche doucement de son cou pour l'embrasser avec délicatesse. Compris?

Il mit ses mains en porte-voix.

– Cabine des effets spéciaux! Augmentez l'épaisseur du brouillard sur la toile de fond! On doit deviner Big Ben et les réverbères, pas les voir scintiller en pleine lumière!

Aussitôt, une fumée épaisse recouvrit le décor. Le metteur en scène se calma un peu. Il prit les mains glacées de Diana dans les siennes pour la réconforter.

– Tu passes très bien à l'écran! Aie confiance en toi. Tu es aimée, tu le sais. O.K.? Projecteurs! Silence sur le plateau. On reprend la prise. A toi, Victorio! On tourne!

Il disparut du plateau pour se réfugier dans l'ombre. A son signal, le visage du beau Victorio Marazetti devint rayonnant d'admiration : dans ses yeux se lisait toute la dévotion d'un homme pour une femme.

Le cameraman fit un gros plan, puis un panoramique sur la main de Victorio, qui soulevait délicatement les boucles brunes de Diana d'un geste prometteur...

90

– Fais durer cet instant Victorio! Il faut que les spectateurs retiennent leur souffle en voyant cette image. A toi de jouer maintenant, Diana. Relève le menton... Laisse ta tête se pencher vers l'arrière. Ferme les yeux... Imagine le baiser que tu vas recevoir... C'est ça... Naturelle et provocante en même temps...

Dans l'ombre, le metteur en scène dirigeait toute la scène.

– Caméra deux : tout sur elle! Prends la bretelle en train de glisser sur son épaule. Fantastique! Victorio : ça va être le grand jeu maintenant, mais attention! N'en fais pas trop non plus. N'oublie pas que tu es ensorcelé par cette femme! C'est parti pour le final!

« Diana, quand il t'embrassera dans le cou, ouvre les yeux et murmure le slogan. Toutes les Américaines doivent se reconnaître dans ce moment d'intimité...

« A toi, caméra trois! Rappelle-toi ta marque, Victorio! Oui, excellent! Réagis maintenant, Diana – parfait... entrouvre les lèvres. Oui. Stop! Très bon. Arrêtez la fumée, on va étouffer!

Les projecteurs s'éteignirent et les lumières du studio se rallumèrent. L'équipe du tournage envahit bruyamment le plateau. Victorio pinça la joue de Diana, lui murmura un compliment poli et la laissa en plan pour aller retrouver le metteur en scène. Celui-ci le félicita chaudement d'une claque virile dans le dos.

– On n'avait d'yeux que pour vous, Diana, lui chuchota DeConi d'une voix enjôleuse. Vous avez été merveilleusement spontanée.

– Merci, Nick, mais je ne vois pas où était la spontanéité là dedans! Sinon, auraient-ils pris toute cette peine pour créer l'illusion du naturel? Tout ça, c'est du toc. Il n'y a rien de plus sophistiqué! dit-elle en souriant.

– Sans doute... mais est-ce un crime que de donner du rêve au public?

— C'est une manière de voir les choses, acquiesça-t-elle d'une voix lasse.

DeConi changea habilement de sujet.

— Je parie que vous mourez de faim! Que diriez-vous d'un bon restaurant italien pour finir la soirée? Je vous invite dans le meilleur de la ville.

— Remettons ça à une autre fois, Nick. Pour l'instant, je n'ai qu'une envie : me mettre au lit après un bon bain chaud.

— Comme vous voudrez. Nous avons le temps...

Il haussa les épaules avec désinvolture pour cacher son dépit.

— Je vous raccompagne à votre voiture?

— Avec plaisir. Je vais me changer. J'en ai pour quelques minutes.

Elle se dirigea vers les loges. Les yeux de DeConi trahissaient le désir qu'elle éveillait en lui...

Un quart d'heure plus tard, ils descendirent dans le parking sombre et désert sans un mot. Après un bref au revoir, elle mit le moteur de sa Caprice en route. Nick se pencha vers sa vitre ouverte d'un air malheureux d'amoureux éconduit.

— Prenez soin de vous, Diana...

Elle démarra et sortit sans se retourner. Une fois sur le boulevard, elle alluma la radio et chercha au hasard une station.

« ... Après le bulletin météo, un cadeau pour tous les fans de Liza Collins! Son tout dernier titre qui monte déjà en flèche dans les hit-parades : *Non, je n'ai pas oublié.* »

Diana augmenta le volume et la mélodie s'éleva dans la voiture, couvrant le bruit du moteur. Attentive aux paroles de la chanson, elle conduisait d'un air absent. Son esprit se mit à vagabonder, la ramenant en arrière...

> *J'étais seule ce soir-là*
> *Tu m'as prise dans tes bras*
> *Mon cœur était sans amour...*

Comme cette chanson lui ressemblait! Elle exprimait si bien ce qu'elle avait ressenti le soir où elle avait rencontré Paul! Elle se mit à fredonner le refrain mélancolique, qui racontait toute son histoire...

> Oublie le temps, oublie le passé
> Il n'y a plus que toi et moi
> Donne-moi un espoir, une raison d'exister
> Pourquoi es-tu venu? Pourquoi?

Cette chanson d'amour lui allait droit au cœur. Elle s'y reconnaissait si bien! Quelle femme ne s'était pas demandé un jour « pourquoi »? Oui, pensa-t-elle, nous rêvons toutes d'un mot de tendresse, d'explication...

Sans même s'en apercevoir, Diana était arrivée chez elle, mais ses pensées étaient ailleurs... très loin, auprès de Paul. Paul qui s'était joué de son cœur et de ses émotions... Paul qui n'apparaissait dans sa vie que pour disparaître aussitôt sans raison et la laissait plus seule, plus désorientée, plus perdue que jamais...

Toute à sa rêverie, elle pénétra dans le salon sans même allumer une lampe. Le clair de lune baignait la pièce d'une lumière irréelle. Le bouquet de roses attira son regard comme un aimant. Elle s'en approcha pour en caresser les pétales veloutés. Le carton était resté à l'endroit où il était tombé. Son petit rectangle blanc se dessinait nettement dans la pénombre. L'écriture familière fit battre son cœur.

J'espère que ces roses parleront mieux que je n'ai su le faire. A bientôt. Paul.

Au bout d'un long moment, elle reposa le carton d'une main tremblante, puis se glissa sans bruit dans sa chambre. Allongée sur son lit, elle ne cessa de se répéter le mystérieux message d'excuse tandis qu'un refrain mélancolique lui rappelait que jamais elle n'oublierait...

9

Les deux jours suivants passèrent à une vitesse folle. Entre les réunions de travail, Diana n'eut pas une minute pour souffler. Le samedi arriva sans qu'elle s'en aperçoive. Elle constata brusquement qu'il ne lui restait plus que quatre heures pour se préparer au cocktail offert par les *Cosmétiques Treneau*, pour les journalistes et les clients.

Elle avait les nerfs à fleur de peau. Pour se détendre, rien de tel qu'un bon bain chaud et une tasse de tisane!

Elle s'apprêtait à entrer dans la baignoire lorsque la sonnette de la porte d'entrée retentit. Elle posa sa tasse, enfila un peignoir et alla répondre, bien décidée à chasser l'importun.

– Paul! s'écria-t-elle, étonnée mais ravie.

– Je voulais vous voir avant la réception. Je peux entrer?

Comment refuser? Elle s'effaça et lui ouvrit la porte toute grande.

– Excusez cette visite impromptue, mais j'arrive à l'instant de Kauai, expliqua-t-il.

Diana rajusta son peignoir.

– J'allais prendre un bain.

Il la contempla longuement d'un air intense et pénétrant. La voyant rougir, il eut un petit sourire narquois.

– Ne vous gênez pas pour moi! Puisque nous sommes tous deux pressés par le temps, je vous parlerai de votre chambre en buvant tranquillement un verre. Vous n'y voyez pas d'inconvénient, je pense?

Quelle insolence! Il voulait la mettre dans l'embarras? Soit! Elle allait lui prouver qu'il ne lui faisait aucun effet!

– Le whisky est dans le bar. Servez-vous, dit-elle avec une indifférence feinte, en reprenant aussitôt le chemin de la salle de bains.

Une fois la porte refermée, sa belle assurance l'abandonna. Plus nerveuse que jamais, elle se glissa dans la mousse parfumée en tendant l'oreille : Paul était entré dans la chambre. Elle entendait les glaçons tinter dans son verre.

– Je pense que vous êtes consciente de l'importance de ce cocktail, n'est-ce pas?

La voix lui parvenait distinctement à travers la porte.

– David s'est chargé de me le faire comprendre. Je vous rassure tout de suite : je jouerai le rôle que l'on attend de Bien-Aimée.

Elle n'arrivait pas à se détendre. Ni le bain ni la tisane n'étaient assez chauds à son goût. Même dans l'intimité de sa salle de bains, elle ne pouvait pas profiter d'un moment de tranquillité!

– Je voudrais attirer votre attention sur un point : nous avons convié des acheteurs potentiels qu'il nous faudra convaincre. Nous comptons sur votre coopération.

Diana ouvrit le robinet d'eau chaude.

– Hollinger représente un débouché très intéressant pour nous. C'est un homme intelligent, difficile à manipuler, mais...

Elle sentit une chaleur apaisante l'envahir.

– Continuez... Je vous écoute, Paul.

Trop tard! Treneau venait d'entrer dans la salle de bains. Elle se cacha aussitôt sous la mousse protectrice. Seuls son visage et ses cheveux remontés en chignon sortaient de l'eau.

– Je vous entendais très bien. Vous pouvez retourner dans la chambre.

– La vue est plus belle ici, railla-t-il, une lueur amusée dans le regard.

Puis ses traits redevinrent impassibles.

– Vous êtes belle, Diana... plus que je ne saurais le dire. Presque trop belle, trop pure pour être jetée en pâture à la publicité...

Il défit le ruban qui retenait ses cheveux : les boucles retombèrent en cascade sur ses épaules.

– Vous avez presque l'inaccessible beauté d'un ange... Presque, mais pas tout à fait!

Sa main remonta dans son cou pour se perdre dans ses boucles brunes, comme pour se prouver qu'il ne rêvait pas...

Abasourdie par son comportement inattendu, Diana leva vers son visage songeur des yeux d'enfant étonné. Il ne put résister à tant de candeur : ses lèvres s'approchèrent des siennes pour y déposer un baiser plein de tendresse et de passion contenue. Il s'agenouilla près d'elle et caressa avec une lenteur érotique ses épaules qui émergeaient de la mousse soyeuse.

Sous sés doigts, elle renaissait... Son esprit lui disait de résister, mais son corps était déjà prisonnier du désir que sa raison niait encore.

– Paul... vous êtes fou! murmura-t-elle.

– Je sais...

Ses mains descendirent inexorablement vers la pointe de ses seins dressés, s'attardant sur leur galbe ferme et rond avec volupté. Ses caresses balayèrent en elle toute trace de résistance. Les yeux fermés, elle s'abandonna sans retenue à l'émotion qui l'envahissait. Paul prolongeait son plaisir : sans hâte, ses doigts glissaient le long de sa peau mouillée et satinée, dessinant la courbe de ses hanches et la ligne fuyante de ses longues jambes...

– Vous êtes tellement désirable, Diana... si pure et pourtant si impudique...

Il était trop tard pour protester. Son désir était le plus fort. Elle n'avait plus qu'une envie : que cet instant dure aussi longtemps que l'éternité...

– Paul, gémit-elle doucement.

Il la souleva délicatement et la serra contre lui avec une ardeur contenue.

– Comme vous m'avez manqué, Diana... J'ai cru devenir fou ! J'ai tellement envie de vous !

Il lui fit relever le menton pour l'obliger à le regarder.

– Mais ça ne sert à rien de le dire si vous ne partagez pas mes sentiments, Diana. Il arrive toujours un moment où un homme cherche autre chose qu'une liaison sans lendemain. Moi, je veux plus... Vous comprenez ?

Non Paul ! Je ne comprends pas ce que tu veux dire ! Est-ce que tu tiens un peu à moi ? pensa-t-elle.

– Je crois, mentit-elle d'une voix incertaine. Vous voulez plus qu'un lien purement physique.

Elle baissa les yeux et ne vit pas la lueur ardente qui brillait dans ses yeux d'ambre. Son regard lui disait ce qu'elle brûlait d'entendre... *Je t'aime !* Mais elle s'éteignit aussi vite qu'elle était apparue : Paul, lui aussi, était tenaillé par le doute...

– Pas exactement, murmura-t-il.

Il défit lentement les boutons de sa chemise tout en couvrant ses lèvres de baisers. Ses vêtements tombèrent à terre. Il était nu. Ses bras musclés l'attirèrent contre son corps viril. Sa bouche avide dessina dans sa nuque un sillon de plaisir, puis se posa sur la sienne, plus sensuelle, plus ensorcelante que jamais, comme si son baiser ne devait pas se terminer... Conquise, Diana enroula ses bras autour de sa nuque et se blottit contre lui. Vaincus par un même désir, ils se laissèrent tomber sur l'épaisse moquette blanche. Elle s'offrit à son étreinte avec une ferveur passionnée. Paul répondit à son appel par des caresses douces et fiévreuses, des baisers ardents et des mots tendres murmurés à son oreille... Au creux de ses bras, Diana se sentit femme. Jamais elle n'avait ressenti une émotion aussi intense.

– Maintenant... chuchota-t-il dans un souffle.

Leurs corps se retrouvèrent et s'unirent dans un même mouvement. Paul lui fit l'amour lentement, longuement. Leurs corps se tendaient, se repoussaient, se rejoignaient comme deux vagues impatientes et langoureuses. Diana sentit monter en elle des frissons de plaisir et gémit d'extase.

Epuisés, comblés, ils restèrent un moment immobiles. Paul caressait rêveusement ses boucles brunes.

– Paul... à quoi penses-tu?

Il la contempla amoureusement.

– Je me demandais si je n'avais pas rêvé... A-t-on jamais touché un ange?

Elle se souleva sur un coude, un sourire amusé sur les lèvres, les yeux pétillants de plaisir.

– Crois-tu qu'un ange se donne à un homme dans une salle de bains?

Il éclata de rire.

– Non. Même pour un diable comme moi, c'est une expérience unique!

Il la serra impulsivement contre lui. Elle se blottit contre la toison soyeuse de sa poitrine et caressa son bras musclé.

– Diana...

– Mmm...

– Qu'est-ce que tu ressens pour moi?

Prise au piège, elle sentit son cœur bondir. Comment pouvait-elle être sincère avec un homme qui n'avait rien dit, rien promis? La peur et la méfiance l'emportèrent sur la franchise.

– Je t'aime bien, Paul, répondit-elle en baissant les yeux.

Elle aurait voulu le prendre dans ses bras, lui crier l'émotion indescriptible qui la possédait corps et âme... Elle n'osa pas.

– Mais encore? Ça peut vouloir dire tellement de choses – de l'amitié à l'amour... insista-t-il, impitoyable.

– Je ne sais pas...

Elle ne voulait pas lui avouer qu'elle était éperdument amoureuse sans savoir d'abord ce qu'il ressentait. Elle se leva pour lui échapper. Avec la souplesse d'un fauve, il la rattrapa.

– Vous n'avez pas oublié l'autre, n'est-ce pas?

– Je vous en supplie, Paul! Ne me torturez pas! Ne m'obligez pas à vous donner une réponse catégorique. La vie est faite de nuances. Rien n'est jamais tout noir ou tout blanc...

Le visage de Paul se ferma brusquement. Seule sa voix trahissait sa déception.

– Vous avez raison. Je suis sans doute trop exigeant.

Sur ces mots, il se rhabilla. Diana en profita pour se réfugier dans sa chambre et remettre son peignoir. Paul entra à son tour : il avait le menton relevé, le visage dur et crispé. Disparu, l'amant tendre et chaleureux... Devant elle, il avait repris les apparences d'un homme d'affaires froid et efficace. Assise au bord du lit, Diana essaya de combler le vide qui les séparait.

– Nous n'avons pas discuté de la réception de ce soir, Paul.

– C'est inutile. Je suis mieux placé que quiconque pour savoir que vous savez vous sortir de toutes les situations délicates.

Il avait dit cela sans méchanceté, comme un simple constat. Une lueur de regret assombrit son expression, mais il redevint aussitôt impassible. Impuissante à le retenir, elle le regarda s'éloigner vers l'entrée. Elle aurait voulu le rappeler, mais sa fierté l'en empêcha.

Brusquement, il s'arrêta comme s'il avait deviné ses pensées.

– Prenez garde aux nuances, Diana! dit-il d'une voix douce mais ferme. Elles ont parfois le charme du souvenir mais, si on ne choisit pas, c'est la vie qui le fait à notre place!

La limousine noire se rangea le long du trottoir. Un chasseur se précipita pour ouvrir la portière.

— Bienvenue à l'*Hôtel Essex*, madame. Puis-je vous renseigner? demanda-t-il en aidant Diana à sortir de voiture, les yeux brillants d'admiration.

— Je me rends au cocktail offert par les *Cosmétiques Treneau*.

— Douzième étage, salle Camelot, répondit-il avec empressement.

— Merci.

Ce petit mot tout simple, mille fois entendu, prenait, dans la bouche d'une femme aussi belle, une résonance particulière. Il en resta tout songeur et respira le sillage de son parfum grisant jusqu'à ce que les klaxons des chauffeurs impatients le rappellent à la réalité!

Diana monta au douzième étage sans même remarquer les regards et les chuchotements que suscitait son apparition. Avec un mélange d'anxiété et de sérénité, elle songeait déjà à l'épreuve qui l'attendait. Elle releva les pans de sa longue robe de satin crème pour monter les quelques marches tendues de tapis rouge conduisant au salon. Machinalement, elle remit en place le peigne d'écaille qui retenait ses cheveux, puis remit au portier sa carte d'invitation. Il lui ouvrit la porte avec un hochement de tête respectueux.

Diana fit une entrée remarquée : tous les regards se tournèrent vers elle et le brouhaha des conversations baissa d'un ton pour laisser place à des chuchotements admiratifs. Steins s'empressa de venir l'accueillir. A son regard, elle comprit qu'il était extrêmement satisfait. Il la fit monter sur une petite estrade.

— Mesdames, messieurs! Les *Cosmétiques Treneau* ont la joie et l'honneur de vous présenter la femme qui a prêté son visage à Bien-Aimée : mademoiselle Diana Lynn Nolan!

Des applaudissements polis saluèrent son apparition. Ils sourirent et redescendirent aussitôt : David tenait absolument à faire immédiatement les présentations. Diana offrait à ses interlocuteurs l'image d'une femme rayonnante, comblée et confiante. Souriante, affable, elle retint au passage les noms et les visages des clients les plus importants. Elle eut l'impression d'avoir serré des centaines de mains et entendu des dizaines de compliments lorsque Steins lui permit enfin de souffler. Il la conduisit au bar en lui glissant discrètement à l'oreille :

– Bravo, mademoiselle Nolan! Vous vous êtes acquittée de votre rôle à la perfection!

Il commanda deux martinis et l'invita à s'asseoir sur le tabouret haut. Elle croisa les jambes en une pose provocante. Après un coup d'œil en direction de la salle, elle se pencha vers David.

– A votre avis, les ai-je convaincus d'acheter notre produit?

– Vous avez fait merveille. Votre seule apparition a suffi à décider les moins enthousiastes! Tenez : j'aperçois Drury là-bas. Vous le voyez? Il représente la chaîne de magasins *Barr & Co* – un marché potentiel de millions de dollars. Je m'occupe de lui. Venez me rejoindre dans un petit moment, voulez-vous?

C'était plus un ordre qu'un conseil!

– Entendu, David. Je voudrais souffler un peu...

Elle le regarda s'éloigner d'un air rêveur. Un autre avait pris sa place, mais elle ne l'avait même pas vu!

– Un whisky double, s'il vous plaît!

Elle reconnut la voix familière de Derrick.

– Derrick! Je ne t'ai pas remarqué dans la foule!

– Pas étonnant! La reine d'Angleterre en personne fait des entrées moins spectaculaires que les tiennes! Je me demande ce qu'une jolie fille comme toi est venue faire ici : c'est mortel, ce cocktail!

Diana jeta un coup d'œil en direction de la salle : on la regardait, on portait des toasts en son honneur.

– De quoi te plains-tu, Derrick ? dit-elle d'un ton de reproche affectueux. C'est un peu ta soirée de consécration, non ? On a reconnu ton talent. A toi la célébrité !

– C'est vrai, mais je pensais à ce que tu m'avais dit le jour de ton arrivée à Kauai. Tu te rappelles ? Je n'ai plus les paroles exactes en tête, mais en gros tu trouvais notre métier racoleur et tu avais l'impression qu'on te traitait comme un monstre de foire. Tu es devenue une femme du monde, Diana, mais je te conseille de rester sur tes gardes. C'est dur de survivre dans ce milieu de requins. Quoi qu'il arrive, en tout cas, tu pourras toujours compter sur moi.

Il vida son verre, lui adressa un clin d'œil complice et se perdit dans la foule des invités. Elle le regarda s'éloigner d'un air songeur et prêta attention à la mélodie que le pianiste d'ambiance jouait en sourdine. Elle connaissait cet air... Le refrain lui revint brusquement en mémoire.

> *Oublie le temps, oublie le passé*
> *Il n'y a plus que toi et moi*
> *Donne-moi un espoir, une raison d'exister*
> *Pourquoi es-tu venu ? Pourquoi ?*

Dans le grand miroir derrière le bar, elle distingua vaguement une silhouette en smoking blanc... Elle reconnut entre tous ce corps athlétique, ces cheveux fauves aux reflets dorés. Paul se penchait vers le visage exquis de la blonde qui s'accrochait à son bras. Diana sentit son cœur se serrer. Elle détourna les yeux du miroir et croisa ceux de DeConi, assis près d'elle.

– Chaque fois que je vous vois, j'ai l'impression que vous n'avez jamais été aussi belle et, chaque fois, vous me prouvez que j'avais tort !

Ce compliment la fit sourire.

– Merci, Nick. Vous avez écrit ce scénario tout seul ?

– Oui. Et je l'ai longuement répété! répondit-il en souriant.

– A propos, Nick, vous avez vu la publicité tournée pour la télévision?

– Oui, hier : c'est de l'excellent travail. Elle sortira au milieu du mois et sera diffusée uniquement aux heures de grande écoute. Nous avons pris votre slogan pour la bande-son. Le résultat est parfait. Il ne nous reste plus qu'à attendre le verdict du public. Il est très exigeant, vous savez, mais je suis dans le métier depuis assez longtemps pour deviner ce qui va se passer dans le cœur des téléspectateurs.

– Et quel est votre diagnostic, docteur DeConi?

– Une longue carrière pour Bien-Aimée!

Confiant et sûr de lui, il s'accouda nonchalamment au bar.

– J'ai une grande expérience : jamais je ne me suis trompé!

– N'empêche... j'aimerais bien avoir un autre son de cloche, dit-elle en riant sous cape.

Abasourdi, DeConi fonça tête baissée dans le piège.

– Lequel?

– Le mien! La critique ne me fait pas peur! dit-elle pour le taquiner.

– Pour ça, pas de souci à vous faire! Mais quand vous serez devant un sceptique, il vous faudra bien...

Il s'interrompit brusquement en voyant Treneau s'approcher du bar. Surprise, Diana lui adressa un regard interrogateur.

– Félicitations, DeConi. Le tournage s'est bien passé, paraît-il?

Il serra la main du directeur artistique. Les doigts de Diana se crispèrent sur son verre.

– Nous étions justement en train de nous demander comment le public allait réagir, Diana et moi. Nous le saurons ce mois-ci.

Treneau se glissa entre les deux tabourets, tournant le dos à Diana.

– Le calendrier de la campagne de promotion a été parfaitement respecté. Bravo!

– Grâce à Diana, nous avons même pris un peu d'avance, rectifia DeConi.

– Vraiment?

Treneau se tourna lentement vers elle. Elle resta clouée sur place tant son regard était intense.

– C'est elle qui a trouvé le slogan du spot publicitaire. En plus, elle a tellement bien joué que nous pourrions presque la lancer dans la course aux oscars!

Diana rougit brusquement.

– Mais son succès ne lui suffit pas! Mademoiselle veut maintenant jouer les critiques! poursuivit-il, inconscient de la tension qui régnait entre elle et Treneau.

– Je suis certain que les critiques seraient justifiées dans certaines circonstances, mais je me demande si elle est capable d'objectivité dans tous les domaines! s'exclama Paul avec un petit sourire en coin.

Diana releva brusquement la tête. Dans les yeux d'ambre de Paul pétillait une lueur moqueuse. DeConi sentit qu'il avait commis une bévue et préféra s'éclipser.

– Excusez-moi, j'ai envie de me dégourdir un peu les jambes.

Avec un sourire forcé, il se perdit au milieu de la foule. Treneau prit aussitôt sa place.

– Vous n'avez pas perdu de temps en mon absence! dit-il, changeant de ton et de sujet. Je me demande s'il vous en reste encore pour voir vos amis!

Diana le regarda avec méfiance.

– Est-ce une simple indiscrétion de votre part, monsieur Treneau, ou faites-vous une enquête pour connaître les raisons du mécontentement de vos employés?

Sa question le déconcerta. Elle savoura un instant sa victoire.

– Oh! J'interromps peut-être une conversation

104

très importante? demanda brusquement une voix suave.

Nicole Treneau! C'est le bouquet! songea Diana.

– Vous êtes superbe ce soir, mademoiselle Nolan!

– Merci du compliment, *madame Treneau*. Prenez donc ma place. J'allais justement partir.

– Ce n'est pas moi qui vous fais fuir, j'espère? lança-t-elle, une lueur mauvaise dans le regard.

– Si c'était votre but, je ne vous aurais pas fait ce plaisir. J'ai promis à David Steins de le rejoindre. Au revoir. Amusez-vous bien!

Fière de sa repartie, elle les quitta la tête haute. Treneau attendit qu'elle soit hors de portée de voix pour répéter tout bas le conseil de Diana, mais avec plus de mépris.

– Tu as entendu, Nicole? Amuse-toi ce soir. C'est ta dernière apparition publique ou privée en tant que membre des *Cosmétiques Treneau!* Alors profites-en!

Il termina son verre et le reposa sèchement sur le bar.

– Pourquoi cette mauvaise humeur, Paul? Après tout, nous sommes arrivés à un accord : à la fin de la soirée, je renonce à tous mes droits... et ça ne te fait même pas plaisir?

– Que si! Mais je réserve ma joie pour la fin de la réception. De ton côté, fais tes adieux!

A son tour, il partit, la laissant seule au bar. Le sourire suave qu'elle arborait se figea sur ses lèvres, puis elle se remit à jouer le rôle de sa vie, celui de la femme frivole et insolente!

– Eh toi! Beau gosse! Prépare-moi un cocktail! lança-t-elle au serveur avec un regard enjôleur.

Son petit rire sonna faux. Elle jeta un coup d'œil en direction de Diana, absorbée dans une grande discussion avec les futurs acheteurs de *Barr & Co.*

– Tu n'aurais pas dû m'humilier une deuxième fois, Paul... siffla-t-elle entre ses dents.

Sa remarque tomba à plat. Personne ne l'avait entendue.

De son côté, Diana bavardait avec M. Drury.

– Vous serez donc à Chicago le jour où nous lancerons Bien-Aimée dans nos magasins, mademoiselle Nolan?

– Prévenez-moi par télégramme, monsieur Drury. Je vous promets de faire tout mon possible pour être présente.

Rassuré, il tira une bouffée de son cigare entre ses lèvres épaisses.

– Votre apparition doublerait nos ventes, c'est évident. Dans ce cas, je suis prêt à doubler aussi nos commandes. Nous miserons tout sur votre charme. J'admire les professionnelles qui connaissent bien les ficelles du métier.

Steins n'en croyait pas ses oreilles : Drury avait la réputation d'un homme intraitable et voilà que Diana le faisait manger dans le creux de sa main! C'était bien la peine de se faire un sang d'encre! Brusquement, le sourire satisfait qui se dessinait sur ses lèvres se figea. Il avait aperçu un homme qui se dirigeait vers eux en se frayant un chemin parmi la foule... Une ride soucieuse barra son front. Il se mit à parler à Drury de tout et de rien sans savoir même ce qu'il disait : l'essentiel était de détourner l'attention de son interlocuteur sur lui!

Etonnée par cette volubilité inattendue, Diana laissa Steins monopoliser la conversation. Soudain, deux mains se posèrent sur ses épaules. Elle se retourna avec curiosité et retint un cri : Vince Arnett était devant elle!

Muette de stupeur, elle contempla le séduisant visage de l'homme surgi de son passé – la petite fossette au menton, les yeux gris indéchiffrables, les cheveux noirs soyeux... Il n'avait pas changé : il était resté le même que celui qu'elle avait tant chéri en souvenir. Une impulsion insensée lui donna envie de caresser ce visage et ces lèvres – comme elle l'avait fait en rêve durant tant de nuits!

Non! Ce n'est pas possible! se répétait-elle. Et pourtant, Vince Arnett est là, devant moi!

Elle secoua lentement la tête et recula d'un pas.

– Non... non... murmura-t-elle, prise de vertige.

Il avança, mais se figea en lisant la terreur folle qui brillait dans ses yeux.

– Diana! Je ne te demande qu'une minute!

Elle n'eut même pas la force de répondre : son regard le fit pour elle : non! Elle s'enfuit en courant.

A quelques mètres de là, un homme n'avait rien perdu du drame qui venait de se jouer sous ses yeux : Paul Treneau! Il vit Diana se frayer courageusement un chemin à travers la foule en retenant ses larmes. Avec David Steins et Vince Arnett, il était le seul à connaître la raison de cette fuite précipitée. Il regarda dans leur direction : David était encore occupé à monopoliser l'attention de Drury; Vince, lui, demeurait immobile. Dans ses yeux gris se lisait un pitoyable désespoir. Les iris d'or de Paul luisaient d'une fascination mêlée d'une interrogation muette...

Dans l'obscurité, Diana pressa ses mains sur ses oreilles pour ne plus entendre la sonnerie stridente et incessante du téléphone. Elle ne devinait que trop bien qui était à l'autre bout du fil! A bout de nerfs, elle se réfugia dans sa chambre.

– Mais, tais-toi, tais-toi donc! fulminait-elle.

La sonnerie s'arrêta au même instant comme par magie, mais le silence brutal était presque aussi insupportable! Diana se sentit vide de toute émotion. Elle fondit en larmes, incapable de se maîtriser plus longtemps...

D'un geste rageur, elle retira sa robe de satin, la jeta sur une chaise et, en sous-vêtements, se laissa tomber sur son lit, les yeux fermés pour essayer de chasser les images obsédantes qui la hantaient.

Elle s'était ridiculisée en s'enfuyant de la réception! Avec un sourire amer, elle se souvint des paroles de Steins et les répéta d'une voix sarcastique.

– Bravo, mademoiselle Nolan! Vous vous êtes acquittée de votre rôle à la perfection!

Un applaudissement salua son exclamation. Elle s'assit d'un bond et scruta l'obscurité, le cœur battant de terreur.

– On refait la scène! dit une voix grave tout près d'elle.

Instinctivement, elle se protégea de l'inconnu derrière son bras, mais une main ferme l'obligea à se lever. Paul Treneau était là!

– Alors, petite peureuse! On croit échapper à la réalité en s'enfermant dans sa chambre? Vous aurez beau vous enfuir! La vie vous rattrapera toujours!

A ces mots, une rage folle s'empara d'elle. Elle se débattit comme un animal pris au piège.

– Comment êtes-vous entré ici?

Il la plaqua brutalement contre lui. Il sentait le whisky et l'eau de Cologne musquée.

– C'est moi qui ai loué cet appartement. Vous vous rappelez? Le concierge m'a reconnu, j'ai trouvé votre porte ouverte. C'est tout. Vous avez tendance à oublier ce qui vous arrange, quand ça vous arrange! Certains souvenirs ont la vie dure, surtout quand on prend soin de les cultiver amoureusement! lui lança-t-il avec mépris.

Diana martela sa poitrine de coups de poing rageurs et réussit à se libérer de sa cruelle emprise. Elle en profita pour allumer sa lampe de chevet. Paul éclata de rire et se laissa tomber dans un fauteuil. Sa chemise était ouverte et son nœud papillon défait.

– Comme d'habitude, vous avez pris vos aises! Vous avez un sacré toupet! s'exclama-t-il en la voyant à demi nue.

Diana essuya furtivement ses larmes.

– Que me vaut l'honneur de votre visite?

Les yeux d'ambre étincelaient dans la pénombre comme ceux d'un fauve prêt à bondir sur sa proie.

– Vous qui aimez tant les nuances, ne me demandez pas une réponse catégorique!

Un sourire carnassier se dessina sur ses lèvres.

– Je pensais que vous aviez peut-être besoin d'une épaule amicale pour pleurer.

A ces mots, le cœur de Diana se serra. Comment avait-il pu deviner? Elle releva la tête d'un air méfiant.

– Qu'est-ce qui vous fait croire ça?

– Décidément, vous avez une mauvaise mémoire! Je vous avais avertie en vous engageant que je m'étais renseigné sur vous. J'ai assisté de loin à la scène touchante de vos retrouvailles avec Vince Arnett et j'ai compris que vous étiez bouleversée.

Diana se laissa retomber au bord du lit, les yeux fixés droit devant elle. D'abord incrédule, elle réfléchit à l'idée qui se faisait jour dans son esprit : les pièces du puzzle se mirent d'elles-mêmes en place. Paul avait tout manigancé! Elle avait été victime d'un coup monté!

– C'est vous qui l'avez invité ce soir, n'est-ce pas? s'écria-t-elle. Oui, j'ai compris. Vous n'êtes pas le genre d'homme à laisser agir ainsi le hasard. Mais pourquoi?

– C'est injuste, avoua-t-il. Disons que je voulais voir par moi-même à quel homme vous rêviez. Quel genre d'homme avait pu se montrer assez cruel pour séduire une jeune vierge innocente, être son amant pendant des mois... pour lui avouer en fin de compte qu'il est marié et père de famille!

« Ou peut-être connaissiez-vous la double vie de votre amant? Peut-être étiez-vous sûre que le temps jouait pour vous? Quelle femme êtes-vous, Diana – une pauvre victime innocente, ou une comédienne qui a bien mis au point son petit numéro?

Ils se levèrent tous les deux dans un même élan de colère et se toisèrent comme deux adversaires prêts à se battre. Diana tremblait d'indignation, Paul de jalousie!

– Qui êtes-vous donc vous-même pour manipuler

la vie des autres? Un dieu? Sachez que l'on ne joue pas impunément avec les émotions des gens, comme on joue en bourse!

La rage les fit avancer d'un pas. Paul la fixait avec une extraordinaire intensité mais elle soutint son regard sans faiblir.

– Vous m'avez achetée comme on achète une action. Et maintenant, en bon spéculateur que vous êtes, vous voulez revendre la déesse au plus offrant?

– Taisez-vous! Non seulement vous êtes incapable de juger correctement quelqu'un, mais vous êtes aussi complètement stupide! Pas étonnant que vous ayez bêtement gâché votre vie à cause d'un pauvre type lâche et hypocrite!

La gifle partit sans qu'elle ait eu le temps de s'en rendre compte. Paul la saisit par le bras et le serra avec une sauvagerie cruelle.

– Vous mériteriez une fessée!

Sa voix rauque et menaçante tremblait d'une rage qu'il avait peine à contenir. Diana lui tenait fièrement tête. Paul contempla sa poitrine qui se soulevait spasmodiquement. Ses seins frémissaient sous le délicat soutien-gorge de dentelle. L'image de cette femme digne et indomptable apaisa sa colère.

Brusquement, il se rendit compte de la violence qui se dégageait de lui et du désir qu'elle éveillait dans son être. Non, il n'avait pas le droit! Il n'était pas homme à prendre une femme de force! Dégoûté de lui-même, il la relâcha. Diana retomba sur le lit, humiliée, désespérée.

– Partez! Je veux être seule! eut-elle la force de demander. Pourquoi ne me laissez-vous pas tranquille?

De la voir aussi vulnérable, il eut plus que jamais envie d'elle. Lentement, il se retourna, prit sa veste sur le fauteuil et la balança au bout de sa main d'un air songeur.

– Vous ne devriez même pas me poser cette

110

question, Diana. La réponse viendra un jour, ne vous inquiétez pas... A moins que vous ne la deviniez vous-même avant!

Diana, interdite, l'entendit refermer la porte. Brusquement, elle s'abandonna tout entière au désespoir qu'elle n'avait pas voulu lui montrer...

10

– Autre chose pour votre service, mademoiselle?
demanda le portier en hélant un taxi devant l'aéroport.

– Non. Assurez-vous seulement que le chauffeur
des *Cosmétiques Treneau* vienne reprendre mes
bagages à la consigne.

– Entendu. Avec moi, ils sont en sécurité en
attendant!

Diana lui laissa un généreux pourboire et monta
dans le taxi.

– Je vous conduis où, ma petite dame? demanda
le chauffeur en démarrant.

– Au *Red Velvet*, s'il vous plaît, répondit Diana
avec un coup d'œil nerveux sur sa montre.

Une demi-heure de retard à un rendez-vous
qu'elle regrettait déjà d'avoir accepté! Il était trop
tard pour l'annuler, à présent. A peine descendue
d'avion, au lieu de s'offrir le bain chaud et la nuit de
sommeil dont elle rêvait, elle était obligée de tra-
verser tout Los Angeles sans même prendre une
minute de repos.

Et pourtant, elle en avait bien besoin! La tournée de promotion de Bien-Aimée à travers les Etats-Unis l'avait épuisée : Chicago, Denver, Dallas, Houston... A chaque étape, elle avait senti que sa vie publique prenait le pas sur sa vie privée.

Sous les feux des projecteurs, elle avait recréé l'illusion et s'était incarnée dans son personnage de Bien-Aimée, mais, au fond, elle ne pouvait s'empêcher de penser que tout cela n'était qu'une vaste mascarade coûteuse et inutile.

Pourtant, le faste et le prestige de cette vie brillante avaient quelque chose de stimulant, de grisant. Parfois, Diana se surprenait à penser que ce n'était qu'un rêve, un mirage merveilleux mais éphémère. Elle sentait confusément que ce n'était pas vraiment elle que le public venait voir et applaudir : ce qui les attirait, c'était l'image d'une femme qui incarnait à leurs yeux la séduction de l'idéal féminin et, plus encore, l'émotion et le mystère qui manquaient à leur vie. Comment le leur reprocher? Elle non plus n'avait pas échappé à ce désir de fuir la grisaille de la vie quotidienne...

Un coup de klaxon la fit sursauter.

– Non mais! Espèce de chauffeur du dimanche! C'est moi qui avais la priorité!

Diana se massa doucement les tempes d'un air las. Elle appuya sa tête contre le siège. Et cette traversée qui n'en finissait pas...

Pourquoi avait-elle accepté ce rendez-vous? Le souvenir de la soirée où tout s'était décidé lui revint en mémoire...

C'était durant son séjour à Chicago qu'elle avait reçu l'appel téléphonique. Elle se revoyait encore, le front posé sur la fenêtre de la suite luxueuse qui avait été réservée pour elle. Ce soir-là, elle s'était sentie déprimée en contemplant les lumières de la ville scintillant dans la nuit. La sonnerie du téléphone avait brisé le silence.

– Diana? Ici Vince! Ne raccroche pas, je t'en supplie! Il faut absolument que je te parle. Je sais que tu rentres à Los Angeles ce week-end. Je me suis débrouillé pour être libre le soir de ton arrivée. Inutile de refuser! Je n'ai pas l'intention d'abandonner. J'insisterai jusqu'à ce que tu acceptes un rendez-vous. Je t'en prie, Diana. Je ne demande qu'une petite heure!

Abasourdie, elle avait répondu qu'ils n'avaient plus rien à se dire.

– Si! A condition que tu me laisses une chance de t'en convaincre! Je t'invite dans un petit club tranquille où on ne risque pas de faire de mauvaises rencontres. Il faut que je te parle. C'est très important.

Prise de court, Diana avait commis l'erreur de ne pas refuser tout de suite.

– Où et quand?

Il ne lui laissa pas le temps de réfléchir.

– Vendredi soir, au *Red Velvet*, vers neuf heures. Je réserverai une table à mon nom. Tu ne le regretteras pas, Diana.

Il avait aussitôt raccroché. Le sort en était jeté! Et c'était à ce rendez-vous qu'elle se rendait maintenant.

Le taxi se rangea le long du trottoir. Elle paya sa course et descendit les quelques marches qui menaient au club. Une hôtesse lui souhaita la bienvenue.

– Préférez-vous le bar ou le salon?

– J'ai rendez-vous. Une table a été réservée au nom d'Arnett.

– Ah oui? Ce monsieur vous attend. Au fond, à gauche.

Diana longea le comptoir devant lequel se pressait une clientèle bruyante et joyeuse. Elle baissa la tête pour ne pas être reconnue. Avant de passer la porte voûtée qui donnait sur le salon, elle jeta un coup d'œil derrière elle : un homme l'observait... Inquiète et mal à l'aise, elle détourna les yeux. Etait-ce un journaliste en quête de sensationnel... ou un simple curieux?

Elle entra dans le salon éclairé aux chandelles. L'ambiance y était intime et discrète. Arnett se leva en la reconnaissant. La lueur des bougies adoucissait ses traits masculins et dansait dans ses beaux yeux gris. Elle s'installa sur la banquette sans dire un mot.

— Je commençais à croire que tu ne viendrais pas.

Vince se rassit en souriant — de ce beau sourire qui la ramenait des années en arrière, au temps des jours heureux. Comme elle l'avait chéri, ce sourire, dans ses souvenirs!

— L'avion est parti de Chicago avec du retard. Excuse-moi de t'avoir fait attendre.

— Pour le plaisir de passer une minute auprès de toi, Diana, j'aurais attendu l'éternité! dit-il en plongeant son regard intense et expressif dans ses yeux de jade.

— Vince! Je suis venue ici en souvenir du passé et parce que tu m'avais dit que c'était important. La situation est déjà assez compliquée... N'en rajoute pas, je t'en prie!

Elle défit son manteau et détourna les yeux.

— Mademoiselle désire? demanda la serveuse.

— Tu bois toujours de la vodka? s'étonna-t-il, déconcerté par sa froideur.

— Un verre de vin rosé, s'il vous plaît, répondit-elle en s'adressant directement à la serveuse.

— Et un autre manhattan, ajouta-t-il sèchement.

Il attendit que l'employée soit hors de portée de voix.

— Je croyais que tu adorais la vodka.

— Les goûts changent, Vince.

— Pas les miens! Je bois toujours le même cocktail, et je pense toujours que tu es la plus jolie femme du monde!

Il s'interrompit en surprenant son regard de reproche et s'empressa de poursuivre.

— Je sais, Diana, tu ne veux plus entendre parler du passé, mais tu n'y peux rien : il nous hante, toi et moi, jour et nuit. Inutile de le nier. Je l'ai vu dans tes yeux le soir de la réception.

Il posa sa main sur la sienne, mais elle la retira aussitôt. —

— Non. J'étais surprise de te voir là, c'est tout. Il n'y a plus rien entre nous. Depuis que nous nous sommes quittés, j'ai changé, j'ai ouvert les yeux : j'ai appris à me méfier des apparences, des gens, des mensonges, de l'hypocrisie...

— Notre relation était sincère et elle n'a pas changé!

— Sincère! explosa-t-elle.

Elle baissa le ton de peur d'attirer l'attention sur eux.

— Tu as une manière très personnelle de te souvenir de ce qui s'est passé! La vérité, c'est que tu as menti pendant des mois à ton épouse et à moi en jurant aux deux qu'il n'y avait qu'une seule femme dans ta vie. Tu appelles ça de la sincérité?

L'arrivée de la serveuse interrompit leur conversation un petit moment. Ils restèrent silencieux, chacun sur sa position. Vince tournait nerveusement son verre en contemplant le liquide ambré d'un air pensif. Les beaux discours qu'il avait préparés avant leur rendez-vous lui paraissaient maintenant creux et ridicules. Ce n'était pas avec de belles paroles qu'il obtiendrait son pardon. Il leva les yeux vers elle et laissa parler son cœur.

— Je reconnais ma faute, Diana, mais je te jure que ce n'était pas par cynisme. J'étais désespéré. J'étais tombé fou amoureux de toi : je ne pouvais pas courir le risque de te perdre en t'avouant que j'étais marié. Je n'avais pas non plus le courage d'avouer notre liaison à Joanna. Nous étions devenus des étrangers l'un pour l'autre, mais je n'avais pas le droit de détruire d'un seul coup la vie que nous avions bâtie tous les deux. J'étais pris au piège : mon cœur ne battait que pour toi, mais je devais ma loyauté à mon épouse...

Sais-tu comme j'ai souffert, comme ce silence me

pesait? Le remords me rongeait mais, dès que j'étais avec toi, j'oubliais tout. Je ne désirais plus qu'une chose : te prendre dans mes bras, te faire l'amour et me perdre dans tes beaux yeux de jade... La vie me paraissait plus facile...

Elle ouvrit la bouche, mais il n'avait pas terminé ses confidences.

— Et maintenant, je voudrais que tu oublies toi aussi les souffrances, le passé. Je suis libre. Joanna et moi nous sommes séparés depuis un an. Je t'ai cherchée partout... Jusqu'au jour où un hasard providentiel t'a mise sur mon chemin. J'ai été engagé par les *Cosmétiques Treneau* et j'ai découvert que tu étais Bien-Aimée! C'est un signe du destin, Diana... Redonne-moi une chance. Tout peut encore recommencer, dit-il en caressant son bras.

Les yeux de Vince brillaient d'une supplication muette. Elle était sur le point de répondre lorsque, brusquement, son attention fut attirée par une silhouette indistincte qui sortait précipitamment du salon par la porte voûtée.

— Vince... On nous épie! J'avais remarqué un homme qui m'avait dévisagée en arrivant. Je viens de le revoir ici! Partons. Je ne veux pas rester.

Elle enfila aussitôt son manteau.

— Voyons, Diana! Tu ne vas pas te mettre à voir des espions partout!

— Je t'assure que je n'ai pas rêvé!

— C'est bon... On va partir. Mais ce n'est pas la peine de nous enfuir comme des voleurs. Nous allons sortir bien gentiment, le plus naturellement du monde.

Il régla la note et mit son manteau.

— Prête à décamper?

Elle ne put s'empêcher de sourire.

— Je sais, je suis un peu excessive, mais les journalistes m'ont poursuivie sans arrêt pendant la tournée et j'ai tendance à en voir partout. Je n'ai pas envie de venir grossir les colonnes des potins mondains, tu comprends?

117

– Oui, répondit-il, sceptique malgré tout.

Ils traversèrent tranquillement le bar. Vince la tenait par le bras pour l'empêcher de céder à la panique.

L'homme avait disparu! Vince avait peut-être raison, après tout : l'imagination et la fatigue aidant, elle avait inventé un journaliste qui n'avait jamais existé!

Vince poussa la porte du club et s'effaça pour la laisser passer. La nuit était tombée. Ils montèrent l'escalier bras dessus, bras dessous mais, brusquement, le flash aveuglant d'un photographe troua l'obscurité.

– Qui est avec vous, Diana? demanda le reporter tapi dans l'ombre, en reprenant aussitôt une autre photo.

La main de Vince se crispa sur le bras de Diana. Elle cacha son visage pour empêcher l'inconnu de continuer.

– Répondez : est-ce qu'il y a quelque chose de sérieux entre vous deux? insista l'inconnu.

– Non! C'est un ami, rien de plus! Laissez-nous passer! s'écria Diana, terrorisée.

Le front contre la fenêtre humide de sa chambre, Diana regardait tomber la pluie. Elle se retourna, contempla d'un air absent les valises qu'elle n'avait pas encore ouvertes, puis son grand lit. Brusquement, elle se revit dans les bras de Paul Treneau.

Pourquoi? Pourquoi, malgré la violence de leur dernière querelle et des semaines de séparation, n'avait-elle cessé de penser à lui? Paul était l'homme le plus arrogant, le plus dominateur qu'elle ait jamais connu. Pourtant, lorsqu'elle s'était sentie seule et déprimée, c'était justement de cette force et de cette tranquille assurance qu'elle avait eu le plus besoin.

– Qu'y as-tu gagné, Diana? murmura-t-elle. Tu as su conquérir le cœur du public, mais tu y as perdu ta joie de vivre et ta spontanéité...

Avec un soupir, elle décida de chasser de son esprit les inquiétudes qui l'assaillaient. Elle se déshabilla et prit un bain chaud. Si mes admirateurs me voyaient! songea-t-elle. Oui, la déesse inaccessible, l'incarnation de Bien-Aimée était comme eux, mais ils l'ignoraient. Ils ne pouvaient imaginer qu'elle avait les mêmes joies et les mêmes soucis! Pour eux, la vie de Diana était un rêve, bien au-dessus des contingences de la vie quotidienne... Quelle ironie!

Elle enfila sa chemise de nuit et se glissa dans son lit, mais le sommeil ne venait pas. Il y avait dans sa vie trop d'incertitudes, de peurs, de souvenirs... A commencer par Vince.

Aussi impulsif, irresponsable que lorsqu'elle l'avait connu trois ans auparavant, il avait agi avec elle comme il l'avait fait autrefois : sans réfléchir aux conséquences. Elle avait tellement lutté pour l'oublier et voilà que, par sa faute, tout était à recommencer!

Pourquoi... pourquoi avait-elle accepté de le revoir? Elle se tourna et se retourna dans son lit, effrayée par le futur incertain qui l'attendait.

Déjà, pendant sa tournée, Diana avait passé des nuits entières à faire le point sur sa situation sans pourtant y trouver une solution. Comme si ses angoisses ne suffisaient pas, on s'était chargé de l'avertir de ce que l'avenir lui réservait! Si ce n'était pas pour cela, pourquoi Nicole Treneau serait-elle venue la voir le lendemain du cocktail?

Diana se souvint de la surprise qu'elle avait ressentie en ouvrant la porte.

– Décidément, je suis un peu une mère pour vous! s'était exclamée Nicole avec un petit sourire perfide et triomphant. Paul est un être dangereux... mais vous l'avez sans doute déjà remarqué. Ce que vous ignorez encore, c'est qu'il se lasse de ses conquêtes aussi vite qu'il s'en est entiché. Quand il en a assez, il n'a aucun scrupule à s'en débarrasser. Pour lui, les gens sont des pantins qu'il manipule à sa guise, et la vie un jeu dont il fixe les règles. Tant pis pour celle qui croit au mirage...

Il y avait dans son expression une telle amertume que Diana en avait frissonné.

– Pourquoi êtes-vous venue me dire tout ça, Nicole?

– Je ne sais pas... Peut-être parce que je me retrouve en vous. Moi aussi j'ai été la vedette des *Cosmétiques Treneau*. Paul a été assez malin pour m'apporter le monde sur un plateau, parce qu'il savait que le menu me plairait. Il sait observer les gens et découvrir leurs faiblesses. La mienne était la cupidité. Il s'en est servi d'abord pour me séduire, puis pour se débarrasser de moi quand j'ai commencé à le gêner – plus exactement, quand vous êtes entrée dans sa vie. Oh! Je sais! Je le lui ai fait chèrement payer, mais ce n'est rien en comparaison de ce que j'ai perdu. Avec Paul, il faut savoir louvoyer, ne pas le prendre de front : de toute façon, dites-vous bien que c'est toujours lui qui gagne. Alors, je suis venue ici pour me venger de lui. Méfiez-vous, Diana : on se servira de vous mais on n'hésitera pas à vous rejeter le jour où on n'aura plus besoin de vous! avait-elle conclu.

Un mois s'était écoulé depuis cette visite, mais ces paroles cruelles et cinglantes étaient toujours aussi vivantes dans son esprit. Nicole avait raison, même si elle n'était venue que par méchanceté : Diana n'avait-elle pas fait les mêmes reproches à Paul Treneau?

Sa vie tournait en rond : l'avertissement de Nicole, le souvenir obsédant de Vince, sa réapparition soudaine dans son existence la laissaient plus seule et démunie que jamais pour lutter.

A quoi lui servait son titre de déesse puisqu'elle n'avait pas le pouvoir de faire changer son destin?

11

Steins rassembla tout son courage en entrant dans le bureau de Paul Treneau. Il ne s'était pas trompé sur la raison de sa convocation : l'hebdomadaire qui lui avait fait passer une nuit blanche était posé sur une pile de dossiers. Il en relut machinalement le titre de couverture : « Révélations sensationnelles! Qui est l'homme mystérieux surgi du passé de Diana? Photos exclusives de notre reporter! »

— Asseyez-vous, David. Vous avez lu le *Town Cryer*? demanda-t-il sans cacher sa colère.

Il tapotait nerveusement le journal en scrutant le visage de son collaborateur.

— Oui.

— Je croyais qu'on avait chargé Vince Arnett d'une autre campagne pour l'éloigner de Los Angeles. Qu'est-ce qu'il fait ici?

Mal à l'aise, Steins s'agita dans son fauteuil.

— Franchement, je n'en sais rien. Avant d'aller plus loin, je voudrais vous rappeler une chose : je me suis toujours opposé à son engagement. Je me suis tué à vous répéter que ça se terminerait mal. Il faut nous débarrasser de lui.

– Je ne peux pas.

– Vous ne *voulez* pas! corrigea Steins.

– Peu importe! Il restera, à condition qu'on l'éloigne de Diana. Pas question qu'ils continuent à faire les honneurs des gros titres! Avez-vous une suggestion?

– Je peux l'envoyer aux Bahamas rejoindre l'équipe de Derrick Jerrard. Il fera la maquette publicitaire de nos essences orientales.

– Trouvez n'importe quel prétexte. Ce qui compte, c'est de l'envoyer le plus loin possible!

Treneau repoussa l'hebdomadaire d'un air dégoûté.

– Est-ce qu'on peut envisager d'intenter un procès en diffamation contre ce journal à scandales?

– Je peux en parler à nos avocats, mais les directeurs de ce genre de publication sont rarement condamnés, vous savez!

– Quoi qu'il en soit, je vous charge de cette affaire, David.

Il s'enfonça dans son fauteuil d'un air las.

– Vous l'avez convoquée ici?

– Oui. J'ai laissé un message sur son répondeur en lui demandant de me rappeler. Vous voulez la voir personnellement?

– Non, mais je voudrais vous confier une mission, répondit Treneau après un instant de réflexion.

Il griffonna quelques mots sur un bout de papier et le lui tendit. Steins blêmit.

– Faites exactement ce que je vous demande. Mlle Nolan ne sera plus obligée de s'enfuir en taxi pour éviter les journalistes indiscrets!

– Vous ne trouvez pas que c'est une solution un peu coûteuse au problème? objecta Steins.

– A moins que vous ne passiez la dépense sur les frais généraux, David? suggéra-t-il d'un ton qui n'admettait pas de réplique.

– Bien. Je vais faire le nécessaire immédiatement.

Après le départ de Steins, Paul Treneau contempla pensivement le gros titre.

« Qui est l'homme mystérieux surgi du passé de Diana? »

Il ressentait ces mots comme une insulte à son amour-propre. Avec la belle assurance d'un homme habitué à ce que rien ne lui résiste, il avait engagé Vince Arnett, persuadé qu'un homme aussi ordinaire ne supporterait pas la comparaison avec lui dans le cœur de Diana... Dans son esprit, l'issue ne faisait aucun doute. Diana découvrirait Vince sous son vrai jour et oublierait le passé. Il s'apercevait maintenant que ce n'était pas si simple. C'était compter sans les souvenirs si chers à Diana! Il avait joué avec le feu, mais il ne savait pas encore s'il avait gagné ou perdu son pari!

D'un geste rageur, il chiffonna le journal et l'envoya dans la poubelle, puis sortit de son bureau d'un air furieux.

Diana referma la porte d'entrée et alluma la lumière. Ses genoux se dérobaient sous elle. Elle ne pouvait détacher son regard du journal qu'elle tenait d'une main tremblante. Elle avait aperçu sa photographie en couverture du *Town Cryer* dans la vitrine du marchand de journaux; elle l'avait aussitôt acheté, sans doute comme des milliers d'autres personnes dans tout le pays! C'était ignoble, révoltant, mais que pouvait-elle contre le célèbre journal à sensations, qui se consacrait exclusivement à fouiller dans la vie privée des vedettes? Encore sous le choc, elle se servit un verre d'alcool et s'installa sur le canapé. Son regard se posa machinalement sur le répondeur téléphonique : il était temps d'écouter les messages que l'on avait sûrement laissés pour elle pendant la tournée! Elle remit la cassette à zéro, augmenta le volume et but son verre à petites gorgées.

« Ici Nicholas DeConi. Vous êtes convoquée pour un nouveau tournage à la télévision. Nous pourrions en discuter en tête à tête un de ces soirs? N'oubliez pas que vous me devez un dîner... »

Diana eut un petit geste de la tête. Au top sonore, la voix de Derrick se fit entendre.

« Bonjour, ma petite Diana! Je pars aux Bahamas pour quelques semaines, avec trois mannequins. Le grand luxe! Quelle vie! En attendant, fais attention à toi. A bientôt! »

Comme il paraissait heureux de son succès! Diana sourit en imaginant ses yeux pétillants de vivacité, mais le message suivant la tira de sa rêverie.

« M. Steins à l'appareil. Vous êtes priée de vous mettre immédiatement en contact avec le gardien de votre immeuble. Il vous donnera la clef de la voiture que les *Cosmétiques Treneau* mettent à votre disposition. Par ailleurs, j'aimerais vous voir rapidement pour faire le bilan de votre tournée. Le succès de notre campagne est total dans presque tous les domaines. Rappelez-moi dès que possible. »

Dans *presque* tous les domaines! Le message était clair : il avait lui aussi lu le *Town Cryer*! Quant à cette histoire de voiture, elle était incompréhensible.

La bande continuait à se dérouler...

« Diana! »

Elle reconnut aussitôt la voix de Vince.

« Ma chérie, je suis désolé pour cet incident au *Red Velvet*! En plus, nous n'avons rien décidé et tu ne m'as pas répondu. On m'envoie en mission aux Bahamas. Je dois absolument te voir avant de partir. Je passerai demain soir. Sois là! »

Diana ferma les yeux. Le cauchemar ne s'arrête-rait-il donc jamais?

Une voix féminine suivit aussitôt.

« Je suis Joanna Arnett. Je voudrais entrer en contact avec vous de toute urgence. Vous conviendrez avec moi que c'est une nécessité. Voici mon numéro : Connecticut 203-439-4490. Merci. »

Joanna Arnett? Mais pourquoi? Evidemment :

elle avait lu le *Town Cryer*! Pourtant, s'ils étaient divorcés, cela ne la regardait plus maintenant!

La cassette était terminée. Epuisée, Diana n'eut pas la force de réfléchir à tout en même temps... Sans la présence amicale de Derrick, elle se sentit incapable de faire face aux problèmes. De guerre lasse, elle préféra se coucher...

Le lendemain matin, elle alla trouver le concierge qui lui confia la clef et descendit avec elle au garage pour lui montrer la Mercedes gris métallisé, flambant neuve.

— M. Steins n'a pas laissé d'autre message?

— Non. Il a simplement dit de vous confier cette clef en mains propres. Les papiers sont dans la boîte à gants. Ça, c'est une voiture! Des cadeaux comme ça, on n'en a pas tous les jours! dit-il d'un petit air grivois.

Le sous-entendu la mit hors d'elle. Elle le planta là et remonta chez elle en fulminant.

— Un coup monté comme ça, c'est signé! C'est Steins qui a fait le sale boulot, mais c'est Paul Treneau qui a encore tout décidé! grommela-t-elle.

D'un geste rageur, elle décrocha le téléphone.

— M. Steins, s'il vous plaît!

— Il est absent pour le moment, mais il a laissé un message pour vous. Voyons... Ah! Le voilà! Il sera dans son bureau entre deux et quatre cet après-midi. Entendu. Je lui dirai que vous comptez venir.

Ce contretemps l'agaça si possible encore plus. Pour se calmer, elle décida de se préparer quelque chose à manger. Rien de tel pour tromper son ennui qu'un sandwich au beurre de cacahuète! Elle s'apprêtait à mordre dedans lorsque la sonnette de la porte d'entrée retentit. Elle alla ouvrir.

— Nick!

— Ça vous arrive d'écouter les messages sur votre répondeur?

— Quand on m'en laisse le loisir, oui! Mais vous

ne m'avez même pas donné le temps d'y répondre!

— Les femmes sont l'inconstance même, croyez-en mon expérience! Mieux vaut venir personnellement. C'est plus sûr... dit-il avec un clin d'œil complice.

— Puisque vous êtes là, vous partagerez bien mon déjeuner. Spécialité de la maison : sandwich au beurre de cacahuète.

— Diana! Et votre ligne? Il va falloir surveiller un peu tout ça! Terminées, les friandises! N'oubliez pas le prochain tournage!

— Comment? J'ai maigri, figurez-vous! Et vous voulez que je me prive?

— Personnellement, je vous trouve parfaite, mais le metteur en scène ne supporte pas le moindre petit kilo de trop!

Elle releva le menton d'un air offensé.

— En tout cas, je mangerai à midi!

— Passe pour aujourd'hui, mais dès demain, carottes râpées au menu!

— Quel rabat-joie! bougonna-t-elle en ouvrant le réfrigérateur. Je n'ai que du jus de tomates à vous offrir. Ça vous va?

— Ça n'a pas l'air mauvais, dit-il en faisant la grimace.

Il but une gorgée et reposa son verre d'un air dégoûté.

— Pouah!

— Et vous me conseillez les menus basses calories! Lâche! Traître! s'exclama-t-elle en riant.

— Ce qui m'amène à la raison de ma visite, enchaîna-t-il.

Un peu mal à l'aise, elle attendit ses explications.

— Quelqu'un de très important s'intéresse à vous. Un homme aussi puissant, aussi têtu que Paul Treneau...

— Ah?

— J'ai cru remarquer au cocktail que vous n'étiez

pas dans les meilleurs termes avec Treneau. Je me trompe?

— Disons qu'il y a des hauts et des bas, répondit-elle sans se compromettre.

— Mais je vous parle de concurrence, Diana! Ma proposition est très sérieuse. Mon ami voudrait vous rencontrer pour vous faire une offre.

— Vous avez changé de camp depuis longtemps? demanda-t-elle calmement, sans la moindre nuance de reproche.

— Récemment.

— Alors pourquoi tenez-vous tant à ce que je sois parfaite pour le prochain tournage? Ça n'a plus d'importance...

— Parce que je n'ai pas encore pris de décision définitive. Mais, si vous acceptez l'offre de mon ami, je suis assuré d'obtenir un poste de vice-président. Je joue franc jeu avec vous parce que vous êtes intelligente et lucide. Je peux vous promettre un salaire plus élevé, moins de problèmes... et ma reconnaissance éternelle.

Une lueur diabolique dansait dans ses yeux noirs.

— Plus la satisfaction d'avoir coupé l'herbe sous le pied de notre cher Paul Treneau! ajouta-t-il.

— Quand dois-je donner une réponse?

— Cette semaine. Notre bienfaiteur est un homme impatient!

— Je vais réfléchir... mais je ne promets rien.

Elle consulta sa montre.

— Excusez-moi, Nick, j'ai rendez-vous et je suis en retard.

— J'allais partir. Rappelez-vous : plus de beurre de cacahuète! Sans appas, pas de contrat! Je vous laisse. A *très* bientôt...

Après son départ, Diana resta songeuse un bon moment. De qui pouvait émaner cette offre? D'un concurrent sérieux, lui avait dit Nick. Or, Treneau n'avait que deux rivaux : *Tujere's*, basé en Europe, et *Dorsini*, de New York, le plus dangereux. Elle opta pour *Dorsini*. Ainsi, l'occasion qu'elle avait tant espérée était arrivée – et même plus tôt que prévu! Mais pourquoi se sentait-elle coupable à l'idée de trahir? Treneau avait-il eu autant de scrupules à son égard?

Allons, l'heure n'était pas à la réflexion! Il fallait parer au plus urgent : Steins!

Une demi-heure plus tard, elle pénétrait dans son bureau d'un air résolu, sans même frapper à la porte!

– Diana! s'exclama-t-il, stupéfait.

Elle jeta la clef de la Mercedes sur le bureau.

– Votre attention m'honore, David, mais je vous demande d'informer M. Treneau que je tiens à ma vieille Caprice et que cette dépense est tout à fait inutile.

– Beaucoup de gens ont une voiture de fonction, Diana, dit-il d'une voix conciliante.

– Une voiture de fonction, vraiment! Gardez cette clef, David, et laissez Treneau faire ses sales boulots tout seul!

Steins était indigné. Une ride soucieuse barrait son front.

– Voyons, mademoiselle Nolan, vous vous égarez! Cette conversation n'est pas digne de vous. Vous devez respecter la hiérarchie, je vous le rappelle. Je vous conseille de revenir sur votre décision. Me suis-je fait clairement comprendre?

– Parfaitement bien, monsieur Steins, mais je resterai sur ma position : je vous serais infiniment obligée de rendre la clef à M. Treneau. Je suis très sensible à sa générosité, mais je me passerai facilement d'une voiture de fonction. La chose étant réglée, nous pourrions peut-être en venir à l'essentiel?

Il dut s'incliner devant sa détermination farouche.

– J'aimerais connaître votre opinion personnelle sur la tournée de promotion, suggéra-t-il.

– Bien-Aimée est solidement implanté sur le marché. Les réactions ont été extrêmement enthousiastes partout où je suis passée. Les chiffres d'affaires

128

en témoigneront probablement. La campagne s'est déroulée sans incident.

– Vous m'en voyez ravi, dit-il, respectueux de l'efficacité de Diana. Toutefois, le déplorable article du *Town Cryer* risque de compromettre le succès total de notre campagne. Pourriez-vous me renseigner un peu plus précisément à ce sujet?

Le moment redouté était arrivé. Elle fit semblant de ne pas se laisser affecter.

– Je pensais que vous aviez compris de vous-même. Il semble qu'un mystérieux amoureux ait reparu dans ma vie. Certains appellent ça du journalisme, moi, j'appelle ça de la diffamation!

Mais Steins n'avait pas le cœur à plaisanter.

– L'heure n'est pas aux sarcasmes, Diana! J'ai lu l'article comme vous. Je veux savoir pourquoi vous vous êtes mise dans une situation aussi compromettante. Je ne suis pas de ceux qui considèrent que toute publicité est bonne à prendre. Vous incarnez l'image d'une femme idéale, ne l'oubliez pas. Ce parfum de scandale est intolérable. L'identité de votre amoureux doit rester secrète. Nous exigeons qu'il soit aussi mystérieux et inaccessible que vous.

– Ne m'accusez pas d'être à l'origine de cette publicité tapageuse! Le hasard a fait qu'un journaliste se trouvait là au même moment, c'est tout! Je me moque des racontars, mais je ne supporterai pas cette exploitation!

– C'est tout à votre honneur, mais vous devez comprendre que l'enjeu est trop important : nous ne pouvons nous permettre le moindre faux pas. Chacun de vos déplacements est observé, commenté, interprété : l'intimité est un privilège rare dans votre profession. Voulez-vous veiller à ce que ce genre de chose ne se reproduise plus désormais? demanda-t-il d'un air cérémonieux.

Elle réfléchit longuement.

– Oui. J'espère que ma faute n'est pas irréparable.

– Non. Disons qu'il s'agit d'un incident de parcours, conclut-il, apaisé. Une chose encore : la durée du tournage pour la télévision a été raccourcie.

– Je sais. Nicholas DeConi est venu me le dire ce matin.

– Il a toujours une longueur d'avance, décidément, remarqua Steins en décrochant son téléphone qui sonnait.

Il ne croyait pas si bien dire! S'il savait! pensa-t-elle.

Steins raccrocha.

– Je crois que nous avons fait le tour des problèmes. Si vous voulez bien m'excuser... J'ai une réunion dans quelques minutes.

– Je vous en prie, dit-elle sèchement. A bientôt, monsieur Steins.

Trop anxieuse pour avaler quoi que ce soit, Diana sortit de la cuisine et s'installa sur un canapé pour lire un magazine. Elle le feuilleta machinalement, incapable de s'y intéresser, et se surprit à fixer le cadran de son téléphone. Après une longue hésitation, elle se décida enfin à composer le numéro de Joanna Arnett. Une voix d'enfant répondit.

– Maman! C'est pour toi!

Instinctivement, Diana eut envie de raccrocher, mais la raison l'emporta. Cette conversation était nécessaire. Trop de questions étaient restées sans réponse...

– Madame Arnett? Diana Nolan à l'appareil. J'ai bien reçu votre message. Je pense qu'une explication s'impose.

– C'est aussi mon avis, mademoiselle Nolan. Sachez que ce n'est pas la colère qui a motivé mon appel. J'ai lu l'article du *Town Cryer* et... j'avoue que je ne sais pas quoi en penser.

– Nous sommes dans une situation délicate, Joanna, acquiesça-t-elle d'une voix amicale et compréhensive. Je dois vous dire que la réalité n'a rien à voir avec cette prose de caniveau. Il est exact que nous nous sommes rencontrés pour boire un verre,

Vince et moi, mais les choses s'arrêtent là. Nous nous connaissons depuis longtemps et...

– Je sais, coupa Joanna. Nous sommes maintenant séparés. La vie privée de Vince ne me regarde pas, mais je voudrais tenir les enfants à l'écart des scandales : j'ai peur qu'ils soient traumatisés s'ils voient la photo de leur père en première page des journaux. Bien que nous ne vivions plus ensemble depuis un an, nous sommes encore officiellement mariés et...

– Comment?

– Oui! Il ne vous en a rien dit? Pauvre Vince! Il ne changera donc jamais! Ce n'est qu'un enfant, Diana, instable, impatient... Non, nous ne sommes pas divorcés. Mes convictions religieuses s'y opposent. Vince a le droit de faire ce qui lui plaît, mais je demande qu'on m'épargne cette publicité. C'est l'unique raison de mon appel.

Diana resta quelques instants silencieuse.

– Je suis heureuse d'avoir pu en discuter avec vous. J'ai compris beaucoup de choses. Ne craignez rien pour vos enfants, ce genre d'incident ne se reproduira plus. Et puis...

– Oui?

– Vous avez raison : Vince ne changera jamais! Merci, Joanna.

Elle raccrocha d'un air songeur et s'allongea sur le canapé pour se reposer. La journée avait été longue et épuisante. Pourtant, elle n'était pas encore terminée. Il lui restait encore à affronter la visite de Vince!

Tout en y réfléchissant, elle interrogea son cœur sans concession : d'abord, avait-elle sincèrement envie de renouer avec lui? Elle ne pouvait le dire : comment faire la part des choses entre le souvenir des jours heureux et les sentiments confus que sa réapparition soudaine éveillait en elle? Certes, Vince était resté l'homme séduisant qu'elle avait connu autrefois. Depuis leur rupture, elle s'était sentie plus seule que jamais : était-ce suffisant pour renouer une relation durable? Avait-elle envie d'embrasser les lèvres qui avaient murmuré tant de promesses, tant de mensonges? Comme l'alcoolique qui jure de ne plus jamais boire, Vince ne pouvait s'empêcher de mentir...

Curieusement, cette idée ne la faisait même plus souffrir. Elle n'éprouvait pour ses faiblesses et ses lâchetés que de la pitié. Pauvre Vince! A trop vouloir, il avait tout perdu. Joanna avait raison : il était resté enfant, un enfant aux yeux plus grands que le ventre.

Elle sentit ses paupières se fermer et ne résista pas à la torpeur qui l'envahissait...

Le timbre de la sonnette la tira brusquement de son sommeil. Elle s'assit d'un bond, passa une main dans ses cheveux ébouriffés et alluma la lumière. La nuit était tombée.

Encore à moitié endormie, elle alla ouvrir.

— Entre, Vince, dit-elle calmement.

— Ouf! Tu es là! J'ai cru que ce soir n'arriverait jamais.

— Tu es trop impatient.

D'un geste machinal, elle resserra sa jupe autour de sa taille, ajusta son chemisier lavande sur ses épaules, puis s'assit sur le canapé.

— Tu as l'air fatigué, lui fit-il remarquer en prenant place à côté d'elle.

— C'est le contrecoup de la tournée. Et puis j'ai eu une journée épuisante. Tu veux boire quelque chose?

— Oui, du café. Je pars dans deux heures et le voyage sera long.

Il lui prit la main.

— Que tu es belle, Diana...

Elle se dégagea aussitôt.

— Je vais préparer le café. J'en ai pour une minute.

— Tu sais! A propos de ce voyage...

Il éleva la voix pour qu'elle puisse l'entendre de la cuisine.

— J'ai l'impression qu'ils ont pris le premier pré-

132

texte qui leur tombait sous la main pour m'éloigner d'ici. On m'envoie aux Bahamas rejoindre Derrick Jerrard.

– Je sais. J'ai eu droit à un sermon cet après-midi, moi aussi.

– Tout ça à cause de ce maudit photographe! Si tu ne m'avais pas empêché de lui casser son appareil...

– Parce que tu crois que ça aurait arrangé les choses? J'imagine déjà les gros titres...

Elle hocha la tête d'un air consterné : Vince serait toujours aussi impulsif!

Quelques instants plus tard, elle lui servit une tasse de café.

– Tu l'aimes toujours noir?

– Toujours. Mes goûts n'ont pas changé, Diana...

Il la regarda d'un air suppliant : visiblement, il n'était pas venu pour le plaisir de bavarder un moment avec elle!

– N'essaie pas de détourner la conversation, Diana. Je ne suis pas ici pour te parler travail... tu le sais bien! Depuis cette soirée au *Red Velvet*, je ne vis plus. Je t'ai dit que rien n'avait changé pour moi, mais tu ne m'as pas donné de réponse. Pardonne-moi! Nous avons tout le futur devant nous. Repartons de zéro tous les deux.

Il avait passé son bras derrière elle et jouait avec ses cheveux. Elle ne fit rien pour l'encourager.

– Tu es pardonné, Vince. Le passé est le passé.

La main de Vince se posa sur sa nuque contractée.

– Et que me réserve le futur? demanda-t-il en se rapprochant.

Elle eut un petit rire nerveux.

– Je ne suis pas voyante! Tu n'as pas le droit de me poser ce genre de question.

– Pas le droit!

Il souleva ses cheveux et déposa un baiser léger sur sa peau douce.

– Alors que mon futur est entre tes mains?

Ses mains glissèrent dans l'échancrure de son corsage et défirent le premier bouton...

– A quelle date a été prononcé ton divorce?

Elle ne ressentait aucune émotion en sa présence. Vince déboutonna fiévreusement son corsage et caressa son ventre doré.

– Il y a un an à peu près, dit-il d'une voix rauque.

Il la poussa doucement en arrière. Ses lèvres se posèrent sur les siennes, mais son baiser ardent la laissa de glace. Elle ne ressentait pas le moindre trouble... Consterné, il s'écarta d'elle d'un air interrogateur. Elle leva vers lui un regard absent.

– Je t'ai posé une question précise, Vince. C'est le genre de date dont on se souvient toute sa vie!

A ces mots, il se redressa et posa sa tête entre ses mains.

– Tu connais la réponse. Pas la peine que je l'invente.

– Non, Vince, ce serait inutile cette fois, dit-elle en reboutonnant son corsage. Qu'importe, après tout. Tu croyais t'en tirer à bon compte avec un mensonge de plus? Pour qui me prends-tu, à la fin?

La colère l'emportait maintenant sur la pitié.

– Je t'aime, Diana... Je t'aime et je te désire plus que jamais. Ça simplifiait les choses de te faire croire que j'étais divorcé. Comprends-moi! Je t'aime trop pour courir le risque de te perdre une deuxième fois! expliqua-t-il lamentablement.

– Mais pas assez pour me dire la vérité! répliqua-t-elle, révoltée par tant de lâcheté.

– Réponds-moi franchement, Diana : est-ce que tu tiens encore un peu à moi?

Il était tellement misérable qu'elle n'eut pas le courage de lui répondre franchement.

– Un peu, mentit-elle.

Elle se leva pour couper court à la discussion. Résigné, Vince la suivit jusqu'à l'ascenseur. Les portes automatiques s'ouvrirent... Clouée au sol, Diana vit Paul Treneau en sortir.

– Oh! Excusez-moi! Je ne pensais pas vous déranger...

– C'est-à-dire que... bafouilla-t-elle.

Elle réfléchit et se ravisa.

– M. Arnett s'apprêtait justement à partir, dit-elle en jetant un coup d'œil dans sa direction.

– Au revoir, Diana, dit simplement Vince.

Les portes se refermèrent sur lui. Aussi tendus l'un que l'autre, Paul et Diana se firent face.

– Je suis vraiment désolé, Diana. J'étais monté un peu par hasard. Je ne pensais pas vous trouver chez vous, expliqua-t-il.

– Puis-je connaître la raison de votre visite?

– Je voulais vous rendre quelque chose.

Il tourna nerveusement la clef de la Mercedes dans sa poche.

– Entrez, dit-elle d'un air las.

Elle retourna s'asseoir sur le canapé. Paul s'installa en face d'elle, dans un fauteuil.

– Vous avez l'air nerveuse ce soir, Diana. La visite de Vince Arnett a donc été si éprouvante?

– Pour lui, oui, répondit-elle sèchement.

– Et pour vous aussi, rectifia-t-il, l'air soucieux. Je ne veux pas vous obliger à m'en parler, mais il y a des moments où il faut savoir se confier, Diana. C'est ce que je suis venu faire ce soir. Vous avez le droit de savoir un certain nombre de choses sur moi. Ce n'est pas facile de revenir sur le passé. Si j'ai refusé autrefois de vous en parler, je pense qu'il est nécessaire de le faire maintenant.

Il alla se mettre devant la fenêtre et poursuivit de sa belle voix grave.

– Moi aussi, Diana, j'ai eu une déception sentimentale. Nicole n'était pas la créature sophistiquée qu'elle est devenue par la suite. Je me suis cru follement amoureux d'elle. Mon erreur a été de la présenter à mon père, le tout-puissant André Treneau. Je l'ai compris trop tard : Nicole a été immédiatement séduite par ce personnage de légende et lui par sa beauté.

Il soupira.

– Le fils s'est incliné devant le père : je n'ai pas voulu devenir son rival. Nous avions déjà fait le malheur de ma mère, je ne voulais pas faire une autre victime.

Perdu dans ses pensées, il contemplait la ville clignotant de lumières dans la nuit. Chaque mot lui pesait, mais il voulut continuer jusqu'au bout sa confession.

– Malgré ma blessure d'amour-propre, je me suis donc effacé. Je me consolais en me disant que leur mariage ne durerait pas. Rira bien qui rira le dernier! Je ne croyais pas si bien dire. Mon père est mort quelques mois plus tard sans avoir connu le bonheur. Nicole est devenue la femme frivole que vous connaissez maintenant, sans cœur et sans scrupules. A force de malentendus et de petites vengeances mesquines, nous avons gâché notre vie... Et tout ce gâchis pour rien. Je me suis aperçu que je ne tenais pas profondément à Nicole et que mon père était mort sans savoir combien je l'aimais et je l'estimais.

Bouleversée, Diana comprit quel drame Paul avait vécu. Dire qu'elle avait été assez stupide pour s'en tenir aux apparences et l'accuser injustement! Il se tourna vers elle, les yeux douloureux, tandis qu'elle se retranchait derrière un silence respectueux.

– Vous vous demandez sûrement pourquoi je vous raconte tout ça, n'est-ce pas? Je l'ignore moi-même... J'en avais besoin, c'est tout. Peut-être pour faire une bonne fois le point sur ma vie. J'ai rompu toute relation avec Nicole il y a quelques jours. Je n'en avais pas eu le courage auparavant, comme je n'avais pas eu celui de vous avouer la vérité. Voyez-vous, Diana, nous souffrons tous à un moment ou à un autre de notre vie, mais est-ce une raison suffisante pour refuser le bonheur qui se trouve à portée de la main?

Ils se regardèrent intensément. Les yeux de Diana s'emplirent de larmes.

– Je ne sais pas ce qui s'est passé entre Vince et

vous ce soir, mais je me sens responsable. Je voulais vous dire combien je regrette d'avoir voulu provoquer le destin...

Il baissa la tête. Les mots d'excuse ne lui venaient pas facilement.

– Je suis désolé, vraiment, Diana... ajouta-t-il doucement.

Elle sentit déborder en elle toute l'émotion qu'elle avait accumulée depuis trop de temps. Incapable de se contenir, elle fondit en larmes.

– Non, Diana... Ne pleurez pas, murmura-t-il en la berçant dans ses bras comme une petite fille.

Elle se blottit contre sa poitrine puissante et sanglota en silence. Comme il lui avait manqué! A présent, elle était heureuse de le sentir là, tout contre elle, fort et rassurant. Pourquoi fallait-il qu'ils se querellent sans cesse? Elle était si bien au creux de ses bras! Déjà, le passé s'estompait... Apaisée par son souffle régulier, grisée par le parfum poivré de son eau de Cologne, Diana retrouvait le plaisir d'être femme...

– Ne partez pas, Paul... Restez avec moi cette nuit. J'ai tellement besoin de vous, murmura-t-elle d'une voix tremblante.

Les yeux d'ambre pailletés d'or rayonnaient de désir. Paul caressa doucement le visage de Diana d'un air songeur.

– Je resterai, Diana...

Il la prit dans ses bras et la contempla avec une intensité bouleversante.

– Oui, Diana, tu as besoin d'amour... Et, surtout, de te sentir aimée. Sans cette certitude, le désir physique n'est rien. Un jour, tu comprendras qu'un homme peut t'offrir l'amour et le plaisir... Et tu seras heureuse.

Il la souleva lentement de terre et pencha vers elle un visage où brûlait la passion contenue. Elle se laissa porter au creux de ses bras protecteurs jusque dans la chambre. Une émotion immense envahit le cœur de Diana. Jamais Paul n'avait été aussi tendre, aussi attentionné...

Il la coucha sur le lit et la déshabilla lui-même sans hâte. Le clair de lune pâlissait son corps nu dans la pénombre. Il y avait dans les yeux de Paul une adoration muette qui fit chavirer son cœur. A son tour, il se dévêtit. Diana ne pouvait détacher son regard de ce corps parfait. Troublée par la sensualité qui émanait de lui, elle admira en silence sa peau bronzée, ses longues jambes musclées, son torse solide et viril. Pour la première fois de sa vie, elle découvrit la plénitude d'un amour total... Eperdue, émerveillée, elle offrit à son étreinte un visage rayonnant de paix et de bonheur, puis l'enlaça amoureusement.

– Une nuit, une nuit seulement, accorde-moi ta confiance, Diana, murmura-t-il.

Il parcourut de baisers fiévreux ses épaules nues. Ses lèvres chaudes sur la peau douce de Diana parlaient pour lui : il lui demandait de se donner à lui de tout son corps... et de tout son cœur!

Paul avait su trouver les mots justes : peu à peu, elle oubliait le passé qui rôdait encore, incertain, dans son esprit. Brusquement, elle se sentit libérée des chaînes qui la retenaient encore; le souvenir douloureux des dernières années, la crainte de l'avenir la quittèrent. Paul était devenu sa seule réalité. L'exil qu'elle avait imposé à son cœur prenait fin...

– Oh! Paul! J'ai tant besoin de toi!

Elle offrit ses lèvres frémissantes à son baiser, s'abandonnant à la volupté qu'il éveillait en elle. Son désir était si intense qu'elle le serra contre son corps de toutes ses forces. Paul la pressa tendrement.

– Diana... Diana... J'ai besoin de toi, tu as besoin de moi... Notre histoire commence cette nuit...

Ses doigts effleurèrent amoureusement son visage. Ses lèvres parcoururent ses rondeurs de femme... Tout le corps de Diana était sillonné de longs frissons de désir. Sous les mains de Paul, elle renaissait à la vie. Le rêve impossible devenait réalité... Elle se blottit dans l'abri de ses bras et poussa un petit gémissement de plaisir. Lentement, il remonta vers ses lèvres offertes, puis il écarta ses boucles brunes pour la contempler. Dans ses yeux perçait une étrange lueur.

– Diana... ma déesse. Tu es la femme dont rêvent les hommes et que les femmes souhaiteraient devenir. Quand tu rayonnes de tant de passion... je voudrais me perdre en toi...

Il explorait son corps lentement, retardant exprès l'instant qu'elle attendait impatiemment.

Enfin, il la posséda de toute sa force, de toute sa tendresse, et leurs corps se confondirent, découvrirent le plaisir d'une union parfaite – l'expérience unique que peu d'amants éprouvent dans toute leur vie...

Aux premières lueurs de l'aube irisée de soleil, Diana comprit que Paul était le seul homme qu'elle aimerait jamais.

12

Immobile, Paul contemplait la tête brune blottie au creux de ses bras. Le parfum subtil de Diana l'enivrait. Son sourire s'élargit quand elle se serra tout contre lui avec un petit soupir de contentement.

– Réveille-toi, paresseuse. Il est presque midi, chuchota-t-il.

– Mmm...

Il étira son bras ankylosé et ébouriffa ses cheveux d'une main malicieuse et tendre.

– Tu as faim?

Elle hocha la tête. Tout joyeux, Paul déclara:

– Je sais préparer les omelettes comme personne... à condition qu'on me laisse me lever! Si tu voulais bien te pousser un petit peu... ajouta-t-il en lui tapotant affectueusement le dos.

Elle se laissa rouler sur le côté, emportant toutes les couvertures avec elle, puis entrouvrit les yeux pour contempler le dos lisse et musclé de Paul qui s'étirait au bord du lit. Un sourire serein se dessina sur ses lèvres.

– Le temps de prendre une bonne douche... et je

vais te préparer le meilleur petit déjeuner que tu aies jamais mangé, jeune marmotte!

Avant d'entrer dans la salle de bains, il lui adressa un sourire éblouissant.

– Tu es adorable quand tu te réveilles, déesse... Pas précisément vive, mais adorable quand même!

Elle entendit couler le jet d'eau et s'étira voluptueusement. Jamais elle n'avait ressenti une telle plénitude. Elle caressa l'empreinte qu'avait laissée Paul sur l'oreiller. Comme la vie serait belle si elle pouvait se réveiller tous les matins dans ses bras!

Brusquement, la sonnerie du téléphone retentit. Tout à fait réveillée, elle bondit du lit, enfila à la hâte son peignoir et courut décrocher.

– Allô! dit-elle avec impatience.

– Je vous réveille?

C'était DeConi, d'une bonne humeur inhabituelle.

– Non, répondit-elle en jetant un coup d'œil inquiet en direction de Paul.

Il sortait justement de la salle de bains en s'essuyant les cheveux. Il mima le nom de Steins d'un air interrogateur, mais Diana secoua la tête tout en écoutant DeConi.

– La proposition dont je vous ai parlé prend forme. Sabatino est à Los Angeles. Il veut vous rencontrer cet après-midi.

Diana eut l'impression de recevoir une douche glacée. Il s'agissait donc bien de *Dorsini*! Elle évita le regard étonné de Paul et répondit d'une voix impersonnelle.

– Je n'ai pas encore eu le temps de réfléchir.

– Venez d'abord au rendez-vous! Vous réfléchirez après, mais il faudra vous décider très vite! insista-t-il. Sabatino vous attendra à deux heures sur le port, quai numéro six, à bord de son yacht, l'*Azul Paz Marina*.

Diana tortillait nerveusement le fil du téléphone en cherchant un moyen de gagner du temps. Elle sentit le regard pénétrant de Paul dans son dos tandis que DeConi ajoutait, exaspéré :

– Vous m'écoutez, Diana ?

– Oui, mais...

De plus en plus embarrassée, elle essayait de faire comprendre à DeConi que l'offre de *Dorsini* ne l'intéressait plus.

– Je vous retrouverai là-bas. N'arrivez surtout pas en retard ! Sabatino aime les gens ponctuels !

Sur ces mots, il raccrocha. Trop tard pour refuser ! Elle reposa le combiné d'une main tremblante et se tourna vers Paul.

– Un problème, Diana ?

– Non... mais j'ai peur de ne pas avoir le temps de prendre le petit déjeuner. J'avais complètement oublié un rendez-vous.

– Je vois, dit-il, sceptique. Je peux t'y conduire, si tu veux. Nous nous arrêterons en chemin pour manger quelque chose.

Il avait réussi à la prendre en défaut. Son visage décontenancé confirma ses soupçons : il se passait quelque chose d'anormal.

– J'ai une meilleure idée : comme je n'en ai pas pour longtemps, tu pourrais m'attendre ici et préparer un vrai repas pour nous deux. Qu'en dis-tu ? demanda-t-elle avec une fausse gaieté qui cachait mal son angoisse.

Elle ne voulait rien lui dire. En lui avouant la vérité, elle risquait de détruire le fragile équilibre auquel ils étaient arrivés. Non, elle devait mener seule cette affaire à bien !

Elle se leva et l'embrassa aussi naturellement que si elle descendait faire une course. Il la retint en passant son bras autour de sa taille.

– Tu ne veux vraiment pas que je t'emmène ?

Le piège se refermait.

– Non, Paul.

Elle lui échappa avec un sourire enjoué.

– Et si tu me préparais du café pendant que je m'habille ? demanda-t-elle avec une désinvolture calculée.

Elle le quitta une demi-heure plus tard. Paul était de plus en plus inquiet : quelque chose dans cet appel avait bouleversé Diana. Une heure à peine auparavant, elle s'était réveillée dans ses bras souriante et détendue. Et voilà qu'au moment de partir, elle avait les nerfs à fleur de peau, de façon d'autant plus étrange qu'elle cherchait à lui cacher son trouble. A quoi n'avait-elle pas eu le temps de réfléchir ? Qui la pressait de prendre une décision et laquelle ?

Vince ? Non, pas après ce qui s'était passé entre eux la veille...

Il arpenta le salon et se décida enfin à décrocher le téléphone.

– David ? Rappelez-moi l'agence de détectives privés avec laquelle nous avons déjà travaillé. Oui, c'est ça... Mettez-vous immédiatement en relation avec eux et faites suivre Mlle Nolan. Envoyez-moi le rapport immédiatement après. David ! C'est strictement confidentiel, bien sûr !

Diana longeait le quai numéro six d'un pas décidé. Arrivée devant le yacht *Azul Paz Marina*, elle emprunta sans hésiter la passerelle d'accès. L'avertissement de Steins lui revint en mémoire : *l'enjeu est trop important; nous ne pouvons nous permettre le moindre faux pas.* Saisie d'une brusque appréhension, elle ralentit le pas en arrivant sur le pont. Pourquoi ne s'était-elle pas confiée à Paul ? Non, c'était impossible. Il ne l'aurait pas crue...

DeConi avança à sa rencontre, visiblement ravi de la retrouver.

– J'ai cru que vous ne viendriez pas, murmura-t-il en la conduisant vers l'avant. Sabatino nous attend. Soyez naturelle mais réservée. Je me charge des négociations !

Il pressa son bras d'une main nerveuse : après tout, le rendez-vous était aussi important pour lui que pour elle puisque son avenir était également en jeu. Elle sentit qu'il était à cran.

Ils entrèrent dans le luxueux salon meublé de

fauteuils de cuir, de confortables canapés et d'un meuble de bar.

– Je suis enchanté de faire votre connaissance, mademoiselle Nolan. Vous désirez boire quelque chose?

Sabatino pouvait avoir la cinquantaine. Dans ses yeux se lisait un mélange de ruse et de bonhomie. Il portait un costume décontracté mais élégant.

– Mlle Nolan désire un gin tonic avec du citron vert, répondit DeConi d'une voix autoritaire.

– Vraiment? s'enquit Dominic Sabatino d'un air interrogateur.

Il n'avait d'yeux que pour Diana.

– Je préférerais un martini, répondit-elle, ignorant la pression que DeConi exerçait discrètement sur son bras.

– Mais bien sûr. Puis-je vous appeler par votre prénom?

– Comme vous voudrez, monsieur Sabatino.

Elle s'écarta délibérément de DeConi et s'assit sur un fauteuil de cuir.

– Alors appelez-moi Dominic, voulez-vous? dit-il en lui tendant son verre.

DeConi vint aussitôt se placer derrière elle, rôdant comme un spectateur autour d'une table de casino où se joue une difficile partie de poker. Le donneur battait les cartes. La partie allait commencer.

– Je propose de nous épargner les politesses d'usage et d'aller droit au but, Diana.

Sabatino ne perdait pas de temps : il avançait déjà sa mise.

– Vous avez sans doute deviné qui m'envoie et pourquoi je vous ai convoquée. Vous êtes un mannequin très coté. Le problème est de savoir si une surenchère vous intéresse?

En bon professionnel habitué à étudier les faiblesses de son adversaire, il observa attentivement le visage de Diana, qui resta impassible. DeConi avait les nerfs en pelote. Sabatino avait ouvert le jeu. C'était maintenant à elle de suivre.

– Tout dépend de votre offre, Dominic. Je ne peux rien décider sans connaître les termes exacts du contrat.

La partie ne faisait que commencer et elle s'annonçait serrée! Sabatino n'était pas un débutant. Derrière ses yeux noirs indéchiffrables, il ne laisserait pas Diana reprendre un pouce de terrain. Il vida lentement son verre et la regarda bien en face.

– Voici nos conditions : d'abord, la rupture immédiate de votre contrat avec les *Cosmétiques Treneau*. Cela ne devrait poser aucun problème, puisque vous êtes libre de vous retirer. Ensuite, acceptation d'un contrat d'exclusivité totale de deux ans avec *Dorsini* – mais sans possibilité de partir avant le terme. Treneau a fait une erreur qui nous sera profitable : son expérience nous a servi de leçon! Si vous acceptez, vous recevrez un million de dollars par an, plus dix pour cent des bénéfices nets des deux années.

C'était à elle de répliquer. Pas question de retirer sa mise! DeConi toussota discrètement pour lui rappeler l'importance de sa réponse. Son propre sort se jouait là, à l'instant! Il jubilait intérieurement en imaginant le « oui » qui allait le hisser au poste de vice-président!

Diana essayait de gagner du temps. Elle termina son verre de martini et le reposa sur la table. Elle avait jugé Dominic : un partenaire expérimenté avec lequel il ne servait à rien de bluffer. Le moment était venu pour elle d'abattre ses cartes et de jouer franc jeu.

– Votre offre est alléchante, Dominic.

– Mais... nous l'avons voulue ainsi, dit-il avec un petit sourire placide.

– Pourtant...

Elle s'interrompit en sentant la main de DeConi se poser sur son épaule.

– Diana ne peut s'engager sans prendre le temps de réfléchir, coupa-t-il.

Sabatino observa un instant le visage tendu de

DeConi, puis interrogea Diana du regard, en quête d'une approbation.

Elle échappa à la main de DeConi en se penchant légèrement en avant.

– Pourtant, je crains de ne pouvoir l'accepter.

– Pourquoi? Excusez ma curiosité, mais vous êtes libre de renouveler ou pas votre contrat avec les *Cosmétiques Treneau*, n'est-ce pas? demanda-t-il sans se départir de son calme.

– C'est exact. Légalement, je peux le résilier quand je veux. Moralement, non.

DeConi posa violemment son verre. Ils sursautèrent.

– On fait cavalier seul, hein! On essaie de me doubler en me prenant pour le dernier des imbéciles! Ça ne se passera pas comme ça! explosa-t-il, menaçant.

– DeConi! intervint Dominic. Nous poursuivrons cet entretien sans vous. Sortez d'ici!

Nick fusilla Diana du regard. Elle avait honte pour lui.

– Je pars, mais je vous préviens, espèce de pimbêche! Le jour où vous redescendrez de votre piédestal, je serai là pour applaudir! Oh! vous pouvez prendre vos grands airs! Vous finirez comme les autres!

Sur ces mots, il claqua rageusement la porte derrière lui. Diana poussa un soupir de soulagement.

– Comme tous les gens trop sûrs d'eux, DeConi réagit très mal dès que son pouvoir est remis en cause. Contrairement à lui, nous ne sous-estimons jamais notre adversaire. C'est ce qui fait notre force. Reconnaissez que j'avais pas mal d'atouts en main.

– C'est juste. Vous êtes non seulement un excellent joueur, mais aussi un bon perdant.

– Non. Je suis réaliste, tout simplement.

Diana quitta le yacht quelques minutes plus tard. Perdu parmi la foule des promeneurs, un homme la prit en photo à plusieurs reprises, mais elle ne le remarqua même pas. Pas plus qu'elle ne se doutait des bouleversements qui allaient suivre. Ce qui n'avait été pour elle qu'une formalité constituerait bientôt le prétexte d'une impitoyable guerre commerciale...

– Nous avons réuni les preuves de sa culpabilité. *Dorsini* est derrière cette offre. DeConi a servi d'intermédiaire. Mlle Nolan est sur le point de nous trahir! annonça Steins en tendant les photos à Paul.

La tension qui régnait dans le bureau était insupportable.

– Rien ne l'empêche de traiter avec *Dorsini*; cela dit, si elle change de camp, nous intenterons un procès pour rupture illégale de contrat. La bataille de procédure sera longue et coûteuse mais Diana sera obligée de faire marche arrière, poursuivit Steins d'un air satisfait.

– Malheureusement, c'est impossible, répondit Paul. Diana peut résilier son contrat tout à fait légalement car une clause l'y autorise. En somme, nous ne pouvons rien contre elle.

Paul avait pris soin de ne pas mentionner cet article particulier du contrat accordé à Diana lors de l'élaboration des textes. Il savait que son collaborateur s'y serait opposé. David Steins, décontenancé, n'arrivait pas encore à croire qu'il ne leur restait plus aucun recours.

– Mais enfin, Paul! Nous pouvons encore contester la validité du contrat. Si vous me disiez en quoi consiste cette clause, nous y verrions peut-être plus clair.

Au sourire résigné de Paul, Steins comprit que la partie était perdue. La lecture de l'article le lui confirma.

– La voici, textuellement, commença Paul Treneau. « Les *Cosmétiques Treneau* accordent à leur représentante susnommée le droit de demander la révision du présent contrat ou de le rompre unilatéralement à la fin de la première campagne de lancement, à la condition expresse que le succès du produit soit effectif et que le nom de Bien-Aimée soit connu de tous. »

Treneau soupira.

– C'est parfaitement clair : si vous doutez du succès de notre parfum, interrogez nos directeurs commerciaux! Les premiers chiffres d'affaires dépassent nos espérances! Mademoiselle Nolan dispose donc du droit de rompre son contrat et cela sans aucune contestation possible de notre part! Même si nous portions l'affaire devant les tribunaux, la publicité qui serait faite à *Dorsini* jouerait contre nos propres intérêts! Il faut vous résigner, David. Nous n'avons aucun recours, conclut-il amèrement.

– Si, Paul! Il nous reste une solution : surenchérir sur l'offre de *Dorsini*! Offrons-lui une somme suffisamment motivante pour la retenir! répliqua Steins qui ne voulait pas s'avouer vaincu.

– Pas question!

– Pourquoi? La situation est extrêmement grave. Aux grands maux les grands remèdes! Si nous ne réagissons pas immédiatement, l'avenir de Bien-Aimée sera définitivement compromis. Laissez-moi éviter une catastrophe. Diana est une femme raisonnable et...

– Non, David...

Devant l'obstination de Paul, il s'inclina.

– Qu'allons-nous faire?

– Je ne sais pas... franchement, David, je n'en sais rien... répondit-il avec un pessimisme inhabituel.

Steins n'avait qu'une envie : partir. Il avait l'impression d'assister, impuissant, au naufrage d'un vaisseau qu'on aurait pu sauver avec un peu de bonne volonté...

Paul se promenait sur le rivage désert. Ses cheveux avaient des reflets fauves sous les derniers feux du soleil couchant. Que cherchait Diana? A lui faire plier le genou? Il avait cru rester le maître de leurs relations, mais elle lui avait échappé. A présent, qui tirait les ficelles et qui était le pantin?

Il se souvint avec ironie des plans qu'il avait conçus pour gagner l'amour de Diana. Quelle dérision! songea-t-il. Persuadé d'être le plus fort, il avait avoué à Diana combien il avait besoin d'elle... et il s'était laissé prendre au piège! Elle lui avait prouvé, par sa trahison, que l'amour est une arme redoutable à double tranchant. Il fait du plus puissant un être vulnérable, du plus intelligent un sot et corrompt les principes moraux les plus rigoureux.

Paul Treneau était tombé amoureux. Il était devenu l'esclave de ses sentiments. Il n'avait plus aucun pouvoir sur son destin.

Il poursuivit sa promenade solitaire le long du rivage sans pouvoir chasser de son esprit l'obsédante image de Diana...

Diana, déesse dont la beauté allait peut-être lui coûter son empire...

Le crépuscule tombait sur Los Angeles. Les derniers feux du soir jetaient sur la ville de somptueux reflets cuivrés. De sa fenêtre, Diana regardait mourir le jour avec un pincement de cœur nostalgique. Une petite voix suppliait en elle : sonne, téléphone, sonne!...

Comme par magie, il se mit à retentir au même moment. Elle sursauta. Non, ce n'était pas un rêve! Elle se précipita sur le combiné.

– Allô! répondit-elle, le cœur battant.

– Mademoiselle Nolan...

La voix familière de David Steins anéantit tous ses espoirs. Elle essaya de cacher sa déception.

– Que se passe-t-il?

– M. Treneau m'a chargé de vous informer qu'il désire vous rencontrer ce soir à onze heures, dans son bureau. Il vous prie d'excuser cette convocation tardive mais des obligations le retiennent encore. Vous serez obligée d'entrer par la porte principale. Le gardien est prévenu, déclara-t-il d'un ton funèbre.

– Je comprends. Est-ce tout?

– Oui.

– Merci. Bonne soirée, monsieur Steins.

Elle raccrocha, sachant qu'elle ne tirerait rien d'autre de lui. Elle avait espéré retrouver Paul en rentrant chez elle, mais avait trouvé l'appartement désespérément vide. A présent, elle savait à quoi s'en tenir.

– Oh! Paul! Pourquoi avons-nous laissé passer notre chance? murmura-t-elle, les yeux pleins de larmes.

Déjà, une petite voix intérieure la narguait: Il se doute de quelque chose... Comment l'a-t-il deviné? Je l'ignore, mais il sait qui je suis allée voir aujourd'hui et il a encore tout interprété de travers! Qui a pu le renseigner aussi rapidement? Il n'a peut-être que des soupçons. Au lieu de chercher une preuve ou de me demander des explications, il se retranche derrière sa dignité, comme d'habitude!

Elle redressa fièrement la tête: pourquoi se sentir coupable d'un crime qu'elle n'avait pas commis? Paul lui avait demandé sa confiance, elle la lui avait accordée sans hésiter, mais il lui avait retiré la sienne à la première épreuve! C'était ça, sa façon de l'aimer? Heureusement, il n'était pas encore trop tard pour réagir! Elle avait maintenant la preuve que Paul était un être insensible, incapable de la moindre émotion.

Pourtant, quoi qu'elle fasse pour l'oublier, elle ne pouvait se résoudre à croire qu'après une nuit aussi belle, aussi intense, ils puissent se quitter sans un adieu. Etait-ce pour le lui dire qu'il l'avait convoquée ce soir? L'idée lui en était insupportable, mais elle s'y prépara avec résignation...

A onze heures précises, Diana entra dans le bureau de Paul Treneau. La nuit était tombée. Seule une lampe tamisée éclairait la vaste pièce. Paul la pria de s'asseoir. Elle obéit sans un mot, la tête haute, les mains croisées sur les genoux. Il y eut un long silence, puis Treneau se mit à parler d'une voix dure et cassante, mais avec aisance, comme s'il avait répété un discours.

– Voici une copie de votre contrat. Je vous demande de le relire soigneusement et de confirmer ce dont nous étions convenus il y a deux mois.

Impassible, elle le parcourut rapidement du regard.

– Je ne vois rien à ajouter, dit-elle calmement.

Paul se redressa dans son fauteuil.

– Bien-Aimée est solidement implanté commercialement, n'est-ce pas? Nous sommes d'accord? Vous êtes donc libre de renégocier votre contrat avec nous.

– Certainement, répondit-elle sans manifester la moindre émotion.

– Ai-je raison de supposer que vous souhaitez invoquer la clause qui vous autorise à nous quitter quand vous le voulez?

Il s'approcha d'elle, les yeux rivés aux siens. Elle se raidit mais ne sourcilla pas.

– Est-ce une question ou un ordre, monsieur Treneau?

– Vu les circonstances, c'est un ordre.

L'entretien aurait pu s'arrêter là, mais Diana avait à cœur de savoir pourquoi Paul la congédiait.

– De quelles circonstances voulez-vous parler? demanda-t-elle pour le provoquer.

Fou de rage, il se planta devant elle, les yeux étincelants, les traits crispés, incroyablement tendu.

– Cette candeur vous va mal, mademoiselle Nolan! Vous n'espériez tout de même pas renégocier avec les *Cosmétiques Treneau* alors que vous êtes en pourparlers avec *Dorsini*! Car si je ne m'abuse, la visite que vous avez rendue aujourd'hui à notre concurrent était plus qu'une simple visite de politesse!

Sur ces mots, il lui lança les photographies d'un air méprisant. Atterrée, elle écarquilla les yeux.

– Vous... vous m'avez fait suivre? demanda-t-elle, perdant brusquement contenance.

– Oui. Après le coup de téléphone de ce matin, j'ai été assez stupide pour vous croire en danger. J'ai pensé que vous auriez peut-être besoin d'aide. Je me suis vite rendu compte que je n'avais aucun souci à me faire... du moins pour vous! Quelle ironie, n'est-ce pas?

Son rire cynique la mit hors d'elle. Elle jeta les photos sur le bureau d'un air écœuré et lui répondit sur le même ton.

– L'ironie n'est pas où vous le croyez, Paul... Je suis allée voir Sabatino, je ne le nie pas, mais j'ai refusé son offre!

Paul scruta son visage en quête d'un signe de vérité.

– Et vous voulez que je vous croie? Etes-vous la victime innocente que vous prétendez être, ou une excellente comédienne rompue à toutes les ruses? En allant voir Sabatino, vous saviez que les enchères monteraient. Vous étiez donc sûre de renégocier votre contrat en position de force vis-à-vis de nous. C'est bien l'explication, n'est-ce pas?

Cette accusation était humiliante, insupportable! Elle leva vers lui des yeux verts étincelants de colère.

– Votre mauvaise foi dépasse les bornes! Pensez ce que vous voulez de moi! Je m'en moque éperdument! s'écria-t-elle en se levant.

Malgré son envie de la voir disparaître à jamais de sa vie, Paul la retint par les épaules. Il ne voulait pas la laisser partir sans être absolument certain de sa culpabilité.

– Avouez que toutes les apparences sont contre vous! A peine sortie du lit, la première chose que vous trouvez à faire est de vous enfuir, comme d'habitude, d'ailleurs! Et pour faire quoi? Négocier avec mon plus féroce concurrent. Mais ce n'est pas tout! Avant de partir, vous me demandez de vous garder votre repas au chaud! Vous me prenez pour un imbécile?

– Vous me faites mal! Si vous me méprisez tant, pourquoi ne me laissez-vous pas partir? s'écria-t-elle, au bord des larmes.

– Je vous fais mal! explosa-t-il en la secouant. Parce que moi, je n'ai pas souffert, peut-être! Donnez-moi au moins une raison de croire en votre innocence! Dites-moi que je me suis trompé, que vous ne m'avez pas trahi! Et d'abord, pourquoi avez-vous refusé le pont d'or que vous offrait *Dorsini*! Dites-moi la vérité!

– Parce que je vous aime, Paul...

A ces mots, il perdit tous ses moyens. Abasourdi, il contempla le visage éploré de Diana. Elle en profita pour se libérer et sortit de son bureau en courant.

Cloué au sol, il vit la porte se refermer derrière elle. Puis, comme un possédé, il se rua à sa poursuite. Le couloir était vide! Il vit clignoter le voyant lumineux de l'ascenseur, se précipita dans l'escalier de service et dévala les marches. Vite... plus vite... La rattraper... Lui demander pardon... Lui avouer...

Il déboucha dans le hall d'entrée: personne! Son cœur se serra: il ne renoncerait plus maintenant! Elle ne peut pas être allée bien loin, pensa-t-il en essayant de réfléchir calmement.

– Vous cherchez quelque chose, monsieur Treneau? lui demanda le gardien de nuit.

Il le congédia d'un geste impatient. Un détail avait accroché son regard: la porte-tambour tournait encore... Diana venait de sortir! Fou d'angoisse, il s'y engouffra à son tour pour déboucher sur l'avenue.

Diana! Il se remit à courir comme un fou... Plus que deux mètres... plus qu'un! Elle se retourna brusquement en entendant le bruit de ses pas et se retrouva dans ses bras sans même avoir eu le temps de s'en rendre compte.

Paul la serra contre lui: plus jamais il ne la laisserait partir. Un petit attroupement de curieux se formait déjà autour d'eux, mais il ne les voyait

pas, ne les entendait pas. Seule comptait Diana...
Diana, qu'il avait failli perdre et qui lui était plus
chère que n'importe quoi au monde!

— Laissez-moi, Paul, je vous en supplie! Que voulez-vous de plus?

Il l'étreignit avec passion en caressant ses cheveux.

— Toi... C'est toi que je veux...

Elle leva vers lui un regard suppliant.

— Quel visage aimez-vous, Paul? Celui de l'innocente? Celui de la comédienne? Choisissez... Je ne
sais plus qui je suis... Plus rien n'a de sens... Ma vie
est un tourbillon... Trop d'émotions... Je ne sais plus
où j'en suis, murmura-t-elle avec un sanglot.

Paul sentit qu'elle allait fuir pour se dérober
encore une fois à la vérité. Il voulut trouver les
mots qui la retiendraient pour toujours auprès de
lui. Ses yeux dorés rayonnaient d'amour, sa voix
tremblait d'agitation contenue. Il effleura légèrement les lèvres frémissantes de Diana.

— Moi je le sais, Diana, je l'ai toujours su... depuis
la première nuit où je t'ai tenue dans mes bras. Au
matin, en constatant que tu t'étais enfuie, j'ai compris que tu étais la femme que j'attendais... *Tu es ma
bien-aimée*, ma chérie. Promets-moi de m'épouser,
de ne plus jamais t'enfuir!

Elle lui offrit un visage radieux, illuminé par la
certitude d'un amour partagé et par la promesse du
bonheur enfin réalisé.

Les lèvres de Paul s'approchèrent lentement des
siennes... et son baiser balaya ses derniers doutes.
En cet instant magique, le monde n'existait plus, le
temps s'était arrêté.

— Je te le promets, mon amour...

Vous venez de lire un volume de la *Série Désir*.

Laissez-vous séduire par la *Série Romance*.
Partez avec vos héroïnes préférées vivre des
émotions inconnues, dans des décors
merveilleux. Le rêve et l'enchantement vous
attendent. Partez à la recherche du bonheur...

Chaque mois: Série Romance 6 nouveautés
et Série Désir 4 romans "haute passion".

9   RITA CLAY

Au hasard d'un caprice

Pour en savoir plus sur ce que cachent les
petites annonces matrimoniales de l'Anderson Report,
la journaliste Victoria Brown se décide à en publier une.
De son côté, Kurt Morgan a eu la même idée.
Leur rencontre prend l'allure d'un jeu truqué.
Comment en sortiront-ils ?

11   BILLIE DOUGLASS

Les délices de Serena

Essayant d'oublier une triste adolescence,
Serena West se consacre à sa confiserie,
qui obtient un très gros succès auprès de la clientèle.
Pourquoi faut-il qu'un soir, un homme surgi du passé
fasse son apparition dans sa vie sans histoire ?
En tout cas, c'en est fini de la tranquillité...

12   STEPHANIE JAMES

Au jeu de la chance

Son travail de bibliothécaire, sa petite vie tranquille,
ce brave professeur qui la courtise, Lacey Seldon
n'en veut plus. Ce qu'elle désire, c'est changer de décor,
tenter une vie nouvelle. Et quand dans une petite
auberge de la côte Ouest elle rencontre Holt Sinclair,
elle comprend qu'en effet rien n'est plus pareil.

Série Désir

5 **Gentleman et démon** STEPHANIE JAMES
6 **Une si jolie grande sœur** NICOLE MONET
7 **Impossible passion** LINDA SUNSHINE
8 **Un rêve de miel** SARA CHANCE

9 **Au hasard d'un caprice** RITA CLAY
10 **Sortilèges dans les îles** ALANA SMITH
11 **Les délices de Serena** BILLIE DOUGLASS
12 **Au jeu de la chance** STEPHANIE JAMES

13 **Toutes les femmes plus une** JANET JOYCE
14 **Dans le désert brûlant** SUZANNE MICHELLE
15 **Je veux que tu m'aimes** JUDITH BAKER
16 **Le destin le voulait** ANN MAJOR

17 **Dis-moi ton secret** RUTH STEWART
18 **Plus merveilleux que le rêve** ANN MAJOR
19 **La volupté du remords** RITA CLAY
20 **Mon ennemie chérie** SUZANNE SIMMS
21 **Les cendres du soleil** RAYE MORGAN
22 **Prise au jeu** PENNY ALLISON

Série Romance

41 **Au gui l'an neuf!** JANET DAILEY

42 **Un tendre caprice** LAURA HARDY

43 **L'île des dieux** ANNE HAMPSON

44 **Un souffle de passion** ANN MAJOR

45 **La femme blessée** BRENDA TRENT

46 **L'Afrique des sortilèges** ANDREA BARRY

47 **Un été doré** ELENI CARR

48 **Prise au piège** NANCY JOHN

49 **Du soleil dans les yeux** NORA ROBERTS

50 **Par une nuit sauvage** FRANCES LLOYD

51 **Cruel malentendu** JOANNA SCOTT

52 **Une douce odeur de jasmin** JEANNE STEPHENS

53 **La magie d'un soir** JOANNA SCOTT

54 **Une si douce défaite** DONNA VITEK

55 **Amis ou ennemis?** NORA ROBERTS

56 **Des perles d'or** CYNTHIA STAR

57 **Aux frontières de la nuit** CAROLE HALSTON

58 **Une saison de bonheur** ASHLEY SUMMERS

59 **Escapade au Mexique** JANET DAILEY

60 **Au loin, une île** DOROTHY CORK

61 **Le soleil de minuit** MARY CARROLL

62 **La brume nacrée du matin** DONNA VITEK

63 **Plus fort que la tendresse** ANNE HAMPSON

64 **Oublier l'inoubliable** SANDRA STANFORD

Achevé d'imprimer sur les presses de l'imprimerie Brodard et Taupin
7, Bd Romain-Rolland, Montrouge. Usine de La Flèche,
le 20 octobre 1983. ISBN : 2 - 277 - 85010 - 1
1291-5 Dépôt légal octobre 1983. Imprimé en France

Collections Duo
31, rue de Tournon   75006 Paris
diffusion France et étranger : Flammarion